OPENBARE
BIBLIOTHEEK
AMSTERDAM

D0311753

O RODE PAPAVER,
BOEM PATS KNAL!

Sjoerd Kuyper

O rode papaver, boem pats knal!

met illustraties van Marije Tolman

Lemniscaat Rotterdam

De auteur ontving voor het schrijven van dit boek een werkbeurs van het Nederlands Letterenfonds.

Omslag en illustraties: Marije Tolman
Nederlandse rechten Lemniscaat b.v., Vijverlaan 48, 3062 HL Rotterdam, 2011
ISBN 978 90 477 0318 1

Druk en bindwerk: Wilco, Amersfoort

Dit boek is gedrukt op milieuvriendelijk, chloorvrij gebleekt en verouderingsbestendig papier en geproduceerd in de Benelux waardoor onnodig en milieuverontreinigend transport is vermeden.

Ter herinnering aan Chris Burger
en opgedragen aan mijn schoonfamilie,
die mij zo dierbaar is.

Nieuw

Buiten, in de tuin, in een boom, op een tak, keurig op een rijtje, zitten tien musjes te kwetteren. Binnen, in huis, in de slaapkamer, in bed, keurig onder hun deken, liggen Robin en Knor. Robin wordt wakker van de musjes. Knor niet.

Robin wrijft in zijn ogen. Hij duwt de deken van zich af en zwaait zijn benen uit... Hé! Hij zwaait zijn benen... Ho! Hij zwaait zijn... Au! Het lukt niet. Hij krijgt zijn benen niet uit bed!

Wat is dit nu weer?

Robin gaat rechtop zitten en kijkt om zich heen. Hij is in het nieuwe huis. Hij is in zijn nieuwe slaapkamer en hier staat zijn bed andersom. Dat is het. Hij tilt Knor op.

'Je moet hier voorzichtig zijn, Knor,' zegt hij. 'Kijk, in het oude huis stapten we aan deze kant uit bed, maar als je dat hier doet... Poink.'

Knor stoot zijn neus tegen de muur.

Knor is Robins grote vriend en knuffel. Hij is een varken. Hij slaapt de hele nacht, de halve dag, en nog een paar uren erbij. Hij wordt niet wakker als hij zijn neus stoot. Hij slaapt gewoon door. Knor kan niet praten, maar Robin weet altijd wat Knor denkt en wat hij zeggen wil. En ook wat Knor droomt. Nu droomt Knor van een paraplu. Er zitten grote gaten in de paraplu, maar dat geeft niet, want de zon schijnt in zijn droom. Zijn hoofd is lekker warm.

'Kijk, Knor,' zegt Robin. 'In dit nieuwe huis moeten we aan de andere kant uit bed stappen.' Hij zwaait zijn benen aan de andere kant uit bed en zet zijn voeten op de vloer. 'Zie je? Zo moet het.'

Knor is het oude huis al vergeten. Robin niet. Vier weken geleden zijn ze verhuisd, Robin en Knor en mama en papa en Suze, toen de zomervakantie begon. Vier weken geleden! En nog steeds stapt Robin iedere dag aan de verkeerde kant uit bed.

Eerst woonden ze in het huis tegenover oom Klaas en tante Betty, nu wonen ze in het huis bij de school. Eerst was papa schoolmeester, nu is hij hoofd van de school. Hij is de baas. Daarom mogen ze in het huis bij de school wonen. Zo is het gegaan.

Ze wonen nog wel in hetzelfde dorp. Als de postbode komt met een brief voor mama of papa, en hij brengt de brief per ongeluk naar het oude huis, kunnen ze midden op de weg gaan staan en met hun armen zwaaien en roepen: 'Oehoi! Postbode! We wonen nu hier!' Dan komt alles in orde. Dan krijgen ze de brief.

Het is stil in het nieuwe huis. Buiten kwetteren de

musjes en koert een duif een liedje van toereloere zoete koek, maar in huis is het stil. In het oude huis was het altijd gewoon stil, hier is het veel stiller. Mama en papa slapen zeker nog. Robin weet niet meer zo goed hoe hun nieuwe slaapkamer eruitziet. Of hij weet het nóg niet zo goed, dat kan ook. Naast de slaapkamer van mama en papa is het kamertje van Suze, met het kleine bedje en de vrolijke gordijnen en de platen aan de muur.

Suze is Robins babyzusje. Ze heeft blonde haartjes. Bijna wit. Maar soms, als mama haar haartjes omhoog borstelt en er een kuifje van maakt en de zon schijnt op haar bolletje, dan zijn haar haartjes roze. Bijna rood.

'Suze lijkt wel een haantje,' zegt papa dan. 'Kukeleku met het Rode Kammetje.'

Suze kan kwie kwie zeggen, en krie, en poef en bullebul. Verder niks. Maar Robin weet altijd wat ze denkt. En ook wat ze gedroomd heeft. Dat vertelt hij aan wie het maar wil horen. Want Robin is al vijf en hij kan praten als tien mussen op een tak. Als je niet oppast, kletst hij de oren van je hoofd. En je neus erbij.

Robin wil dat iedereen wakker wordt. Nu. En dat ze met z'n allen een boterham gaan eten. In de tuin. Het is zomer, dus dat kan. Hij wil opstaan en over de overloop naar de slaapkamer van mama en papa gaan. En daar met een flinke aanloop op hun bed springen. Plof. Goedemorgen!

Maar hij heeft een probleem.

Een groot probleem.

De wolf.

Als je van het kamertje van Robin naar de slaapkamer van mama en papa loopt, kom je langs de trap. Dat kan niet anders. Het is daar altijd een beetje donker. En boven aan de trap... zit een grote grijze wolf. Robin heeft de wolf nog nooit gezien, maar hij weet dat hij daar zit. Hij voelt het. De wolf heeft scherpe tanden en gele ogen. De ogen lijken wel van goud. Soms hoort Robin de wolf zacht grommen. Dan heeft hij honger. Als mama en papa bij Robin zijn, is de wolf altijd net even weg, dan verstopt hij zich. Hij is bang voor papa en mama. Maar als Robin alleen is, bijvoorbeeld met een dunne pyjama aan...

In het oude huis had je geen wolven.

Laat mama en papa nog maar even slapen, denkt Robin. En Suze ook. Hij staat op en neemt Knor onder zijn arm. Hij schuift de gordijnen open. De zon schijnt zo fel, Robin ziet alleen maar licht. Hij knijpt zijn ogen dicht en doet ze daarna langzaam weer open. Hij gluurt tussen zijn wimpers door.

Achter de gordijnen is niet alleen een raam, er is ook een deur. Als je de deur opendoet en naar buiten stapt, sta je op het platte dak. Er staat een hek langs de rand van het dak. Als je naar beneden wilt vallen, moet je eerst over het hek klimmen. Maar Robin wil niet vallen, hij wil kijken. Naar de tuin en de school en de boomgaard. Naar de zon.

Kikkerogen

Als je op de zon woont, heb je altijd warme voeten. En je woont mooi hoog, dus je kunt alles goed zien. Als je naar beneden kijkt zie je de wereld en wat daar is: de hoge bergen, de diepe zeeën, de landen, de bossen en het strand, de steden en de dorpen met hun kerken en hun kermis, de haantjes op de torens en de slootjes die glinsterend door de weilanden gaan. Dat zie je allemaal.

En het dorp waar Robin woont.

Dat zie je ook.

Midden in het dorp staat het nieuwe huis van Robin.

Voor het huis loopt een weg en over die weg rijdt ieder uur een bus. Soms gaat hij de ene kant op. Hij rijdt dan langs weilanden en boerderijen en langs het Wijd, dat is het brede water waar je in de winter op kunt schaatsen, als er ijs ligt, en daarna rijdt hij verder naar de stad. Daar zijn grote winkels en daar woont de tandarts. Robin gaat wel eens met mama naar de stad om dingen te kopen. Boeken, of mooie spulletjes voor in de kerstboom.

Soms gaat de bus de andere kant op. Dan rijdt hij

langs de kerk en café De Ridder St. Joris, waar ieder jaar de kermis is, en langs het oude huis van Robin en het huis van oom Klaas en tante Betty, en dan langs het huis waar Eefje woont. Robin is verliefd op Eefje, maar hij heeft haar lang niet gezien. Ze zien elkaar alleen op school en nu is het al vier weken vakantie. Robin wil graag een keer in de bus langs haar huis rijden, maar mama en hij gaan nooit die kant op. Dus rijdt de bus leeg langs het huis van Eefje. Over de lange weg naar de dorpen verderop.

Je kunt de weg ook oversteken, maar dan moet je eerst kijken of er niet toevallig een bus aan komt. Of een auto. Of een trekker. Of een fiets. Als er niets aan komt, kun je naar de overkant. Daar staat een rijtje huizen en als je tussen die huizen door loopt, kom je in de weilanden. Die zijn zo groot – van je tenen tot aan de horizon. Op de horizon staan bomen. Ze lijken klein en dun als draadjes garen, het garen waarmee mama knopen aan Robins broek zet. Het is alsof daar de hemel aan de wereld is vastgenaaid.

Als je op de zon woont, kun je de bomen zien en de weilanden en de weg, en de bussen en de fietsen die daar rijden, en het nieuwe huis van Robin. En als je goede ogen hebt, kun je zien dat aan de achterkant van het huis een plat dak is. Met een hek eromheen en een deur naar een slaapkamer. De deur gaat open. Er komt iemand naar buiten. Iemand loopt het platte dak op. Op zijn blote voeten en met een slapend varken onder zijn arm.

Het is Robin.

Robin gaat op de onderste plank van het hek staan en kijkt naar beneden, naar de tuin achter het huis. Het is nog vroeg, de wereld is fris, de zon klimt de hemel in maar is nog niet warm. Er liggen dauwdruppels op het gras. Ze lijken op kikkerogen. Robin kijkt naar de schommel die stil aan een tak hangt. Hij kijkt naar de hoge heg om de tuin, naar het kippenhok vol kippen, naar de sloot achter het kippenhok. Achter de tuin, achter de heg, staat de school en achter de school ligt het schoolplein.

Robin kijkt naar de boomgaard naast het huis, tussen de school en de weg. Daar groeien goudsbloemen en op alle bloemen wonen rupsen. Kleine rupsen met bruin haar en grote kale groene rupsen. De boomgaard ruikt naar rupsen. Er staan hoge bomen, appelbomen, perenbomen. Als de zomer voorbij is gaan ze de appels en de peren plukken, dan hebben ze de hele winter iets lekkers te eten.

'Moet je zien, Knor,' zegt Robin. 'Er hangen al piepkleine appeltjes en peertjes aan de takken.'

Knor zet zijn ogen op een kiertje. Hij ziet niet veel. Hij droomt nog half. Hij droomt van zijn bed.

'Ik stop jou weer in bed, Knor,' zegt Robin, 'en ik ga eitjes zoeken.'

Daar heeft hij zin in: op zijn blote voeten door de tuin lopen, naar het kippenhok, deurtje open en dan al die fladderende kakelende kippen om hem heen. Het ruikt altijd zo lekker in het hok, het ruikt er naar warme veren. En er liggen altijd eitjes. Soms drie, soms acht, soms elf.

In het nieuwe huis begint iemand te zingen. Het is papa. Hij zingt een lied van verre landen. Nu durft Robin de trap af, en dan door de keuken en de bijkeuken naar buiten. Naar het kippenhok.

Robin kijkt naar de zon. Hij knijpt zijn ogen tot spleetjes.

'Goedemorgen, zon,' roept hij. 'Wil je ook een eitje?'

Hij zwaait.

De zon zwaait niet terug. Dat kan niet, want de

zon heeft geen handen. Dat weet Robin heus wel. En op de zon woont ook niemand die terug kan zwaaien. Je kunt niet wonen op de zon. De zon is veel te heet. Nog heter dan een kachel, nog heter dan twee kachels, nog heter dan drie kachels in een brandend huis. Als je op de zon woont smelten je tenen, en dan je knieën, en dan... Hou maar op! Robin weet dat allemaal. Hij is niet gek.

Toch zwaait hij naar de zon.

Want hij is vrolijk.

Hij heeft zin in een eitje.

Bullebak

'Hé Robin!'

Aan de overkant van de sloot staat de nieuwe buurman. Hij heet witte Frans. Hij woont in de boerderij naast het nieuwe huis en hij is de vader van Sil. Sil zit bij Robin in de klas.

'Hé Robin,' zegt witte Frans. 'Lekker geslapen?'

Robin knikt.

'Dat doet me plezier,' zegt witte Frans. 'Kun je hard werken?'

Robin knikt nog een keer.

'Dan moet je straks bij ons komen,' zegt witte Frans. 'We gaan hooien. Sil helpt ook mee.'

Robin knikt alweer. Hij weet niet of hij dat kan, hooien, hij heeft het nog nooit gedaan, maar als Sil gaat helpen wil hij ook helpen. Hij doet een stap naar voren, naar de sloot, om te zien of Sil ook aan de overkant is.

'Hooien kan niet in je pyjama,' zegt witte Frans. 'Doe je overall aan, en je klompen, en zet een pet op je hoofd. Als je geen pet opzet, komt er hooi in je haar en dan vreten de koeien je kop kaal. En Robin... doe een beetje voorzichtig. Je staat veel te dicht bij de sloot. Straks grijpt de bullebak je nog.'

Robin doet gauw een stap naar achteren.

'Je weet toch wel wie de bullebak is?'

Robin heeft nog nooit van de bullebak gehoord, maar hij knikt toch. Daar is hij goed in.

'De bullebak is overal, Robin. Overal waar water is, daar is de bullebak. En als je te dicht bij het water komt, dan grijpt-ie je en sleurt je de diepte in.'

Robin doet nog een stap naar achteren.

'Kom je zo?' vraagt witte Frans.

Robins nek doet pijn van het knikken.

Witte Frans loopt naar zijn boerderij. Robin tuurt in het water. Hij ziet de bullebak niet maar hij weet al hoe die eruitziet: als een olifant zonder slurf en zonder oren. Als een groot grijs spook. Robin draait zich om en rent de bijkeuken in. Dan maar geen eitje vandaag.

Ja hoor, denkt hij, een bullebak! Die kan er ook nog wel bij. Eerst de wolf, dan koeien die mijn kop kaal gaan vreten, en nu ook nog een bullebak!

Bij het oude huis was ook een sloot maar daar zat geen bullebak in.

Papa staat in de keuken. Hij maakt Suzes flesje schoon. Hij laat water uit de kraan in het flesje lopen en schudt het flink heen en weer.

'Papa,' vraagt Robin, 'weet jij wat de bulle... Weet jij wat hooien is?'

'Dat weet je zelf toch ook wel,' zegt papa.

Hij giet het water uit het flesje in de gootsteen.

'Ja, maar weet jij of ik dat kan?'

'Wat?'

'Hooien.'

'Natuurlijk kun jij hooien. Iedereen kan hooien.'

'Ik mag vandaag helpen met hooien,' zegt Robin. 'Met Sil en zijn vader. Maar ik moet wel een pet op.'

'Natuurlijk moet je een pet op,' zegt papa. 'Je kunt niet hooien zonder pet.'

'Nee,' zegt Robin, 'want dan komt er hooi in mijn haar en vreten de koeien mijn kop kaal.'

'Wie zegt dat?' vraagt papa.

Robin hoort niet wat papa vraagt. Hij kijkt in de gootsteen. Het water uit het flesje van Suze verdwijnt door zes gaatjes die in een koperen rondje zitten. Zes kleine gaatjes in een koperen rondje op de bodem van de gootsteenbak. Door de gaatjes kun je naar beneden kijken, de afvoerpijp in. Maar door die gaatjes kun je ook omhóóg kijken! Als je onder het koperen rondje woont. En dat doet iemand! Twee glinsterende ogen kijken Robin aan.

'Papa!' zegt Robin.

Hij weet niet wat hij verder nog kan zeggen. Hij wil zeggen: Papa, kijk, de bullebak! Maar dat durft hij niet. Papa wil niet dat Robin bang is. Robin kijkt nog eens in de gootsteen. De glinsterende ogen kijken terug.

Robin ziet dat er letters in het koperen rondje

staan. 'Wat staat daar?' vraagt hij. 'Staat daar...' En dan zegt hij het toch: 'Staat daar bullebak?'

Papa zucht heel diep en zegt: 'Ja hoor, daar staat bullebak. Er staat: Bullebak. Drie keer bellen. Zie je het schroefje in het midden van dat rondje? Als je daar drie keer op drukt, komt de bullebak.'

'Heb jij', vraagt Robin, 'drie keer op het schroefje gedrukt?'

'Ik kijk wel mooi uit,' zegt papa.

'Maar de bullebak is wel gekomen,' zegt Robin. 'Hij gluurt naar ons!' Hij wijst naar de glinsterende ogen in de gootsteen.

'Ach man!' zegt papa. 'Van wie heb je die flauwekul?' Hij buigt zich over de gootsteen en blaast. 'Toedeloe,' zegt hij. 'Dag bullebak!'

De ogen zijn weg. Robin ziet alleen nog maar gaatjes. Zes lege gaatjes. Zo moet het dus, denkt hij. Je moet een monster gewoon hard in zijn ogen blazen. En dan moet je toedeloe zeggen.

'Dat zijn waterdruppeltjes,' zegt papa. 'Die hangen aan de gaatjes. En er staat niet: Bullebak. Drie keer bellen. Er staat: Ocriet reinigen met vim.'

Het lijkt wel een toverspreuk: ocriet reinigen met vim. Van die woorden kent Robin kent er maar één: met. Dat woord kent hij. Gebakken aardappels mét appelmoes. Gefeliciteerd mét je verjaardag. Ocriet reinigen mét vim.

'De bullebak bestaat niet,' zegt papa. 'En de mensen die zeggen dat hij wel bestaat, die jokken. En weet je waarom ze jokken? Om je bang te maken. Als je bang bent voor de bullebak durf je niet dicht bij het water te komen, en als je niet bij het water durft te komen kun je er niet in vallen, en als je er niet in valt kun je niet verdrinken. Snap je? Maar ik zeg tegen jou gewoon: Robin, niet te dicht bij het water komen, want anders val je erin en dan verdrink je. En dat wil ik niet.'

'Ik ook niet,' zegt Robin.

'Afgesproken,' zegt papa. 'En de bullebak?'

'Bestaat niet,' zegt Robin.

'Mooi, dan gaan we nu onder de douche.'

'Durf ik niet,' zegt Robin. 'Overal waar water is, daar is de bulle...'

Papa gromt zijn gevaarlijkste grom. Hij grijpt Robin bij zijn kladden en zijn lurven, gooit hem over zijn schouder en sjouwt hem de trap op.

De bullebak bestaat niet, denkt Robin. Net goed. Dat is één. En als ik straks een pet opzet, blijven de koeien van mijn kop af. Nu de wolf nog.

Maar als papa Robin de trap op sjouwt, laat de wolf zich niet zien. Hij kijkt wel uit. De wolf is bang voor papa.

Mompel

'Papa,' vraagt Robin, 'hoe moet je hooien?'

Robin en papa staan in de badkamer. Ze zijn net onder de douche geweest. Ze zijn helemaal schoon. Van hun tenen tot hun haar.

'Gaan ze hooien met machines?' vraagt papa. 'Of doen ze het met de hand?'

Dat weet Robin niet.

'Als ze het met machines doen, is het heel makkelijk,' zegt papa.

Hij pakt een handdoek en begint Robins haar droog te rossen.

'Met machines,' zegt hij, 'hoef je alleen maar mompel mompel balen mompel touwen mompel mompel wagens mompel stapelen mompel schuur en klaar.'

Daar heeft Robin niks aan. Hij wil weten hoe je hooien moet en papa vertelt het hem, maar papa rost Robins haar droog met de handdoek en dat rossen maakt zo'n herrie in z'n oren dat Robin niet kan horen wat papa zegt. Ja, mompel mompel balen mompel schuur en klaar. Dat hoort hij. Maar daar heeft hij niks aan.

'Maar,' zegt papa, 'als ze het met de hand doen, ga je flink zweten. Dan is hooien zwaar werk.'

'Geef mij de handdoek eens,' zegt Robin.

Papa geeft hem de handdoek.

'Bukken!' zegt Robin.

Papa bukt.

'Ik weet al heel precies wat ik moet doen,' zegt Robin. 'Zal ik het vertellen?'

'Graag,' zegt papa.

'Dan moet je...' zegt Robin. Hij legt de handdoek op papa's hoofd en begint papa's haar keihard droog te rossen. 'Dan moet je mompel mompel hooivork mompel wagen,' zegt hij. 'Mompel mompel zweten mompel hooiberg en klaar. Dat is het.' Hij houdt op met rossen. 'Weet je nu wat ik moet doen, papa?'

'Nee,' zegt papa.

Papa pakt de handdoek en rost verder tot ze allebei droog zijn. Kurkdroog en brandschoon. Hun hele lijf.

Even later lopen ze hand in hand naar de boerderij van witte Frans. De zon schijnt recht in hun ogen. Papa heeft sandalen aan en een korte broek en een dun hemd, Robin loopt op klompen en hij heeft een pet op zijn hoofd. Tussen zijn pet en zijn klompen draagt hij een overall. Hij gaat hooien. Hij zweet al een beetje.

Ze lopen om de boerderij heen. Bij de deur van het klompenhos staat een lange rij klompen. Robin

trekt zijn klompen uit en zet ze in de rij. Papa loopt op zijn sandalen naar binnen. Robin loopt met hem mee. Door het klompenhos, door de bijkeuken, naar de keuken. Daar zitten Sil, de moeder van Sil, de vader van Sil en nog vier boeren. Robin kent ze wel. Ze heten Loots en Kollis, Laan en De Jong. De mannen drinken koffie en eten koek. Ze hebben hun pet afgezet en op hun knie gelegd.

'Goedemorgen samen,' zegt papa.

'Mogge meester,' zeggen ze. 'Mogge Robin.'

'Mogge,' zegt Robin.

'Kom je ons helpen, meester?' vraagt witte Frans.

'Ik niet,' zegt papa. 'Ik heb vakantie.'

'Jullie boffen maar, jullie schoolmeesters. Zes weken vakantie in de zomer en twee met kerst.'

'Zullen we eens ruilen, Frans?' vraagt papa. 'Ik een weekje op de boerderij, jij een week in de klas, met dertig van die apen van kinderen?'

'Je hebt gelijk, meester, ik moet er niet aan denken. De hele dag binnen!'

'Ik ga vandaag de overloop schilderen,' zegt papa. 'Ook binnen.'

Hij geeft Robin een kus.

'Let je goed op?' vraagt hij. 'Dan kun je me vanmiddag alles vertellen over het hooien.'

Papa gaat naar huis. Robin krijgt een stuk koek.

'Wil je ook koffie?'

Dat wil Robin niet.

Hij legt zijn pet op zijn knie en eet koek tot er geen kruimeltje van over is. Dan staan de mannen op. Ze zetten hun petten op hun hoofden en gaan naar buiten. Ze gaan hooien.

Sterk

Buiten trekken de zeven boeren hun klompen aan. Ze lopen het erf op.

'Papa van Sil,' vraagt Robin, 'wat moet ik doen?'

'O, da's hartstikke lollig,' zegt witte Frans.

'Maar wat precies?'

'Ik zal het je heel precies vertellen,' zegt witte Frans, 'dan kun jij het vanmiddag aan meester uitleggen. Hij weet alles van rekenen en lezen, maar hij weet niet veel van het boerenbedrijf. Ik zal het je vertellen als we op het land zijn. We gaan eerst een lollig tochtje maken.'

Ze lopen met z'n allen naar een trekker met een grote wagen erachter. Op de wagen staan hoge hekken, aan alle kanten staat er één. Aan de voorkant, de zijkant, de achterkant en de andere zijkant. De wagen lijkt op een kooi.

Witte Frans tilt Robin op en duwt hem tussen de spijlen van een hek door. Zo komt Robin op de wagen. Sil en de boeren klimmen er ook op.

'We hebben een paar dagen geleden het gras van een groot weiland gemaaid,' zegt witte Frans. 'We hebben dat gras iedere dag gekeerd, zodat het aan alle kanten goed kon drogen in de zon. En als gras helemaal droog is, wat is het dan?'

'Hooi,' zegt Robin.

Hij weet al iets van het boerenbedrijf.

'Heel goed,' zegt witte Frans, 'en waar bewaren we dat hooi?'

'In de hooiberg.'

'En voor wie doen we dat?'

'Voor de koeien.'

'En wanneer eten ze dat?'

'In de winter. Als ze op stal staan.'

'Allemaal goed.'

Robin weet al vrij veel van het boerenbedrijf.

'Nu is het gras dus hooi geworden,' zegt witte Frans. 'Dat gaan we binnenhalen. En wat jij moet doen, dat vertel ik je straks.'

Witte Frans klimt op de trekker en start de motor. Een sliert vette zwarte rook spuit omhoog. De trekker en de wagen rijden het erf af, de weg op, het dorp in. Robin zit naast Sil. Hij houdt zich vast aan het hek. Witte Frans heeft gelijk, het is een leuk tochtje. Ze rijden lekker hard. Hun petten waaien bijna af.

Witte Frans stuurt de trekker over een bruggetje een weiland op. Op het weiland ligt het hooi in lange gele regels, wel honderd regels naast elkaar. Ze zijn zo lang als het weiland – van het bruggetje tot in de verte, waar het land de hemel raakt. Al dat hooi moet op de wagen.

Het land is niet zo glad als de weg. De trekker schudt en schommelt, de wagen hotst en botst, de jongens en de boeren stuiteren als rubber ballen heen en weer. Soms vliegen ze omhoog, dan komen ze weer neer. Hun arme kont doet zeer.

Dan staat de trekker stil. Sil en de boeren springen van de wagen. Robin springt ook. Hij springt goed. Hij komt in een regel hooi terecht. Het hooi ruikt lekker. Gras kun je niet ruiken, hooi ruikt lekker. Er is maar één ding dat nog lekkerder ruikt dan hooi. Dat is sappig, pas gemaaid gras.

'Mannen, aan het werk!' zegt witte Frans.

Hij pakt vijf hooivorken van de wagen. Ze hebben lange stelen en scherpe punten. Hij geeft de hooivorken aan Loots en Kollis, Laan en De Jong en neemt er zelf ook een. Dan pakt hij twee houten harken. Die geeft hij aan Robin en Sil.

'Luister, Robin,' zegt witte Frans. 'Wij gaan nu het hooi op de wagen gooien. We prikken het aan onze vork en dan tillen we het, hup, de wagen op. Maar we vergeten hier en daar wel eens een pluk hooi. Al die plukjes moeten Sil en jij bij elkaar harken. Op een mooi hoopje. Dan gooien wij dat hoopje later nog even, hoeps, op de wagen. Snap je dat?'

Robin knikt, hij snapt het. Het is ook niet zo moeilijk.

De boeren gaan aan het werk. Ze prikken het hooi

aan hun vorken en smijten het over het hek op de wagen. Hup. Hoeps. Hopla. Dat gaat goed. Robin en Sil lopen achter ze aan en harken plukjes hooi op mooie hoopjes. De Jong en Loots en Kollis en Laan gooien de hoopjes bij het andere hooi op de wagen.

'Ik kan al goed hooien, hè?' zegt Robin.

Het land onder zijn klompen is weer fris en groen, het hooi ligt op de wagen. Witte Frans klimt op zijn trekker en rijdt een stukje verder. Daar ligt nog heel veel hooi.

'Ik kan veel beter hooien,' zegt Sil. 'Kijk maar.'

Hij begint woest te harken.

Robin harkt net zo woest mee. De hark is groot en zwaar, maar het gaat goed. Robin heeft het warm, er staan zweetdruppeltjes op zijn voorhoofd, maar hij zet zijn pet niet af. Hij kijkt wel uit. Stomme koeien. Hij harkt en harkt. Hooi stuift in het rond en plakt aan zijn wangen en zijn handen. Zijn haren zijn nog schoon onder zijn pet. Ze zijn nat van het zweet, maar ze zijn schoon. Hij harkt woest verder.

Robin wist niet dat hij zo sterk was.

Hooimannetjes

De zon klimt de hemel in. Het wordt steeds warmer in de wereld. De mannen gooien met hun vorken grote plukken hooi op de wagen. De jongens harken het vergeten hooi op hoopjes. Die gaan ook de wagen op. De berg hooi op de wagen wordt hoger en hoger. De wagen wordt steeds voller. En voller. En voller. En...

'Vol!' roept witte Frans. 'Klim er maar op, mannen!'

'Kom hier,' zegt boer Kollis.

Hij neemt Robin onder zijn arm en klimt langs het hek de wagen op. Alsof het hek een ladder is. Als hij boven is, gooit hij Robin in het hooi. Plof. Boer Loots gooit Sil in het hooi. Ook plof. Het hooi is zacht. De wagen begint te rijden. Hij hotst en botst, maar als je in het hooi ligt heb je daar geen last van. De vier boeren zitten naast Robin en praten wat. Robin luistert niet. Hij ligt op zijn rug en kijkt naar boven. Hij ligt zo hoog, als hij nu zijn hand uitsteekt naar de blauwe lucht, krijgt hij blauwe vingers.

Sil springt op. 'Stampen!' roept hij.

Hij stampt met zijn ene klomp in het hooi en

daarna met zijn andere. Ene klomp, andere klomp, ene klomp en andere. Klomp omhoog en klomp omlaag. Stamp stamp stamp. Sil pakt Robins handen en trekt hem overeind. Robin heeft ook zin om te stampen: klomp omhoog en klomp omlaag, ene klomp en andere klomp, ene klomp en andere klomp. Stamp stamp stamp. Ze springen door het hooi als twee verliefde kikkers. Spring spring spring. Nee, het is geen springen. En het is ook geen stampen meer. Het is dansen. Dans dans dans.

Het is hartstikke lollig.

Boink. De wagen rijdt door een kuil. Plof. Robin valt op zijn rug. Geeft niet. Alles is zacht en niets doet pijn. Sil staat nog rechtop. Dat is de bedoeling niet! Robin pakt het been van Sil en trekt het naar zich toe. Plof. Gelukt. Nu ligt Sil ook in het hooi.

'Hé!' roept Sil. 'Dat is niet eerlijk!'

Hij gaat op Robin zitten en trekt de pet van Robins hoofd.

'Niet doen!' roept Robin. 'Zo worden mijn haren weer helemaal vies!'

'Helemaal niet vies,' zegt Sil. 'Lekker juist. Lekker hooiig.'

Ja, voor de koeien, denkt Robin.

'Ik ben net onder de douche geweest,' zegt hij.

'Dan moet je nóg een keer onder de douche,' zegt Sil.

Hij pakt een grote pluk hooi en strooit de sprietjes over Robins haar.

'Douche douche douche,' roept Sil. 'Douche douche douche!'

Hij lacht zich suf.

'Wacht maar, mannetje,' zegt Robin.

Hij zet zijn handen tegen de borst van Sil en duwt hem weg. Hij krabbelt snel overeind en springt boven op Sil.

'Hé!' zegt Sil. 'Ho!'

Ha! denkt Robin.

Ze beginnen te vechten.

Nee, het is geen vechten. Het is stoeien.

Het is lollig.

Sil is sterk, Robin is snel. Soms zit Sil op Robin. Als een nijlpaard. Maar dan glipt Robin onder Sil vandaan. Als een slang. En dan gaat hij op Sil zitten. Ze rollebollen door het hooi. Loots en De Jong en Kollis en Laan roepen hoera en hup Robin, hup Sil, pak hem en grijp hem, bravo.

Opeens is het stil. De motor van de trekker is stil, de hooiwagen staat stil, de boeren zijn stil, en Robin en Sil liggen stil naast elkaar in het hooi. Ze hijgen van het stoeien. Maar verder is het stil.

'Hé!' roept de stem van witte Frans. 'Hé hooimannetjes!'

Robin en Sil kijken naar beneden. De wagen en de

trekker staan weer op het erf achter de boerderij. Dat is snel gegaan!

'Hebben jullie honger?' vraagt witte Frans.

'Ja!' schreeuwt Sil.

'Ja!' schreeuwt Robin.

'Kom hier,' zegt boer Kollis.

Hij neemt Robin onder zijn arm.

'Ik kan het zelf,' zegt Robin.

Kollis laat hem los. Robin pakt de bovenkant van het hek stevig vast, zwaait zijn been over de rand, en klimt voorzichtig naar beneden.

Hij kan alles vandaag. Hij kan hooien, hij kan dansen, hij kan vechten, nou ja, stoeien, hij kan van een hooiwagen klimmen. Dat kan hij allemaal en hij heeft nergens pijn. Hij voelt niks.

O ja, hij voelt wel iets. Hij voelt jeuk. Verschrikkelijke jeuk! Overal. Hij heeft jeuk aan zijn voeten en jeuk aan zijn knieën, jeuk op zijn buik en jeuk in zijn nek. Hij heeft vooral veel jeuk op zijn hoofd. Overal zit hooi. In zijn klompen en zijn sokken, onder zijn overall en zijn hemd, onder zijn pet. Het jeukt zelfs tussen zijn billen! Robin wil het liefst gaan krabben, overal, maar dat zal niet helpen, want hij heeft ook hooi aan zijn handen.

De moeder van Sil heeft pannenkoeken gebakken. Een stapel tot aan het plafond. Iedereen heeft honger. Ze hebben hard gewerkt, de mannen. Nu mogen ze uitrusten, met hun pet op hun knie. Ze hebben allemaal hooi in hun haar. Goed dat er geen koeien in de keuken zijn, anders werden hun koppen kaalgevreten.

Sil pakt een pannenkoek van de stapel. Hij legt hem op een bord en giet er stroop op. Dan rolt hij hem op en steekt hem in zijn mond. Robin doet hetzelfde: hij pakt een pannenkoek, legt hem op een bord, giet er stroop op, rolt hem op en steekt hem in zijn mond. Hij proeft de warme pannenkoek, lekker, hij proeft de koude stroop, lekker, en hij proeft... hooi! Het hooi is van zijn hoofd gevallen, uit zijn haar. Of het zat nog aan zijn handen. Nu zit het in de pannenkoek.

Als de pannenkoek op is, ga ik naar huis, denkt Robin.

Maar als de pannenkoek op is, lust hij nóg wel een pannenkoek. En als die op is nóg wel een. En nog een. Robin eet zes pannenkoeken met stroop en hooi.

Als ze alle zes op zijn, gaat hij naar huis. Dan pas.

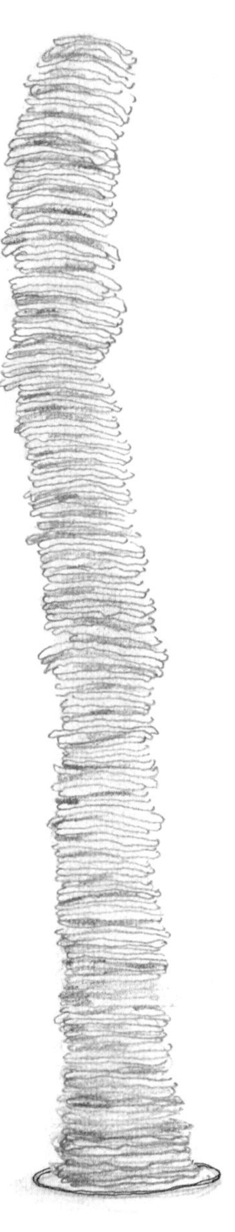

Dom

Robin loopt naar huis. Hij loopt langs de trekker van witte Frans en langs de wagen vol met hooi, hij loopt het erf af en de weg op, hij loopt langs de school en langs de kerk en café De Ridder St. Joris, waar ieder jaar de kermis is, hij loopt langs het huis van de burgemeester. Hij is er al bijna. Kijk, daar staat zijn huis al.

Maar... dat is zijn huis helemaal niet. Dat is het oude huis. In dat huis woonde hij vroeger!

Wat een fijn huis.

Heel even heeft Robin zin om te huilen. Omdat hij niet meer in dat fijne huis woont. Maar het lukt niet. Hij kan niet huilen want hij voelt gekriebel in zijn keel. Zit daar een sprietje hooi? Nee, Robin weet wel beter. Het is een lach, een schaterlach. Robin slaat dubbel van het lachen en nu springen er toch tranen in zijn ogen. Maar het zijn tranen van plezier. Hij schatert het uit.

Dat hij zo dom kan zijn!

Hij was bij Sil en hij wilde naar huis, en zijn huis staat naast de boerderij van Sil, maar hij is gewoon langs zijn huis gelopen. Hij heeft zijn huis niet eens gezien! Hij liep het hele dorp door naar zijn oude huis! En daar staat hij nu, bij zijn oude huis.

Dit moet ik aan mama en papa vertellen, denkt Robin. Wat een geweldige grap. Hij rent terug door het dorp. Langs de burgemeester. Langs de kerk en het café. Kijk, daar staat zijn huis, het nieuwe huis. Daar woont hij nu. Robin rent naar binnen.

'Hallo!' roept Robin. 'Ik ben er weer en ik heb al gegeten!'

Het blijft stil in huis.

'Pannenkoeken!' roept Robin.

Geen geluid.

'Met stroop!'

Stilte.

'En hooi!'

En dan... hoort hij papa zingen. Papa's stem komt van boven. Uit de badkamer. Hij zingt een oud liedje, Robin kent het wel. Maar de woorden zijn een beetje anders. Papa zingt:

'Kleine Suze gaat in bad,
dus wordt kleine Suze nat.'

'Papa!' schreeuwt Robin. Hij springt uit zijn klompen en rent naar boven, de trap op, op zijn sokken. 'Papa, ik was bij het oude huis!' Hooisprieten vliegen in het rond. 'Ik dacht dat ik daar nog woonde! Goeie mop, hè?' Hij rent de badkamer in. 'En ik heb met Sil gevochten!'

Hij is zó vrolijk, hij heeft helemaal niet aan de wolf gedacht! De wolf die altijd boven aan de trap zit. Hij heeft niet eens gekeken of hij er zat.

Papa zit op de rand van het bad. Hij houdt Suze vast. Suze zit in het bad. Ze kijkt Robin blij aan en petst met haar handjes op het water.

Papa kijkt Robin ook aan. Maar niet zo blij.

'Man, je zit onder het hooi!'

'Papa,' zegt Robin, 'ik heb met Sil gevochten. In het hooi. En ik ben zelf van de wagen geklommen en ik heb zes pannenkoeken gegeten, met stroop en met hooi, en toen liep ik naar huis maar het was het oude huis en toen moest ik zo lachen omdat ik zo dom was, en ik heb echt gehooid, met de hark. Zo, en nu ga ik in bad. Met Suze.'

'Ho ho,' zegt papa, 'jij gaat eerst onder de douche.'

'Dat is dan voor de derde keer vandaag,' zegt Robin. 'Ik ben ook al met jou onder de douche geweest, en onder de hooidouche, op de wagen.'

‘Dat zie ik,’ zegt papa. ‘Maar ik wil dat gekriebel niet in bad.’

Robin kleedt zich uit.

‘Man,’ zegt papa. ‘Is er nog hooi over voor de koeien? Het lijkt wel of jij alles hebt meegenomen in je kleren. Gooi die maar uit het raam.’

Wat zegt papa nu?

‘Doe maar,’ zegt papa, ‘gooi je kleren maar uit het raam. Dan ga ik ze straks buiten flink uitkloppen.’

Robin heeft zijn kleren nog nooit uit het raam gegooid. Hij wist niet eens dat het kon. Papa zet het raam open en Robin gooit zijn kleren naar buiten. Het kan.

Robin stapt onder de douche en draait de kraan open.

‘Nu,’ zegt hij, ‘ga ik je precies vertellen hoe je moet hooien.’

Robin vertelt en papa luistert. Het is een lang verhaal. Als het uit is, is Robin schoon.

‘Zo,’ zegt hij, ‘nu weet je ook alles van het boerenbedrijf.’

‘Dank je,’ zegt papa. ‘Ben je schoon? Dan mag je bij Suze in bad.’

Robin is nog nooit in bad gegaan omdat hij schoon was.

In het nieuwe huis is alles anders.

Bootje

Robin geeft Suze een kus op haar bolletje en stapt in bad. Hij gaat tegenover haar zitten.

'Bullebul,' zegt Suze.

Dat betekent gezellig.

'Moet je zien,' zegt papa. 'Suze kan al los zitten.' Papa laat Suze los en Suze blijft keurig rechtop in bad zitten. 'Knap hè!'

'Dat komt goed uit,' zegt Robin. 'Dan kun jij mijn piratenschip pakken.'

Papa staat op en loopt de badkamer uit. Robin let goed op. Als Suze omvalt, moet hij haar redden. Maar ze valt niet om. Ze petst met haar handjes op het water en zegt nog vier keer bullebul. Ze vindt het erg gezellig in bad met Robin.

Papa komt terug met het piratenschip en zet het op het water. Het drijft prachtig. Papa gaat op de rand van het bad zitten. Hij slaat zijn krant open en begint te lezen.

'Waar is mama?' vraagt Robin.

'Verf kopen in de stad,' zegt papa.

Suze steekt haar handjes uit en wil het schip pakken. Robin schuift een stukje achteruit en trekt het schip met zich mee.

'Ga jij maar weer met je handen petsen, Suze,' zegt hij, 'jij mag de golven maken voor het schip.'

Maar Suze petst niet. Ze zit opeens heel stil. Het lijkt alsof ze diep nadenkt. Alsof ze een moeilijk woord gaat zeggen. Piratenschip. Of vanillevla.

Robin duwt het schip door het water. Het schip is vol piraten. Die kun je niet zien maar ze zijn er wel. Je moet weten dat ze er zijn. Als je het weet, kun je ze zien. Robin ziet er wel honderd. Hij laat de motor van het schip brommen.

'Brr brrrrr.'

De piraten zijn op zoek naar het schip van de valse koning. Dat gaan ze enteren. En dan pikken ze zijn goud.

'Br brrrrr,' zegt Robin.

'Br brrrrr,' zegt Suze.

Zij denkt zeker dat ze ook een schip heeft. Maar zo is het niet. Of... jawel. Toch. Ze heeft opeens een bootje in haar hand en duwt het door het water. Het is een soort kano. Maar... is het wel een bootje? Robin kijkt eens goed.

Nee hè?

Ja hoor!

'Papa!'

Papa kijkt op van zijn krant.

'Suze heeft in bad gepoept!'

Robin schuift met een rotgang nog verder achter-

uit, helemaal naar de andere kant van het bad. Daar gaat hij zitten kijken naar wat er nu weer gaat gebeuren.

'Wat een verrukkelijk drolletje,' zegt papa.

'Br brrrrr,' zegt Suze.

En dan... vist papa Suzes drolletje uit het water. Met zijn hand! Robin durft niet eens te kijken. Papa gooit het drolletje in de wc en trekt door. Hij begint te zingen.

'Badpoeper badpoeper, Suze is een badpoeper.
Badpoeper, badpoeper, een badpoeper is Suus.'

Dat is wel een goed lied, vindt Robin. Hij zingt met papa mee.

'Badpoeper badpoeper, Suze is een badpoeper.
Badpoeper, badpoeper, een badpoeper is Suus.'

Het zingen gaat goed, het is ook niet zo'n moeilijk lied.

'Badpoeper badpoeper, Suze is een badpoeper.
Badpoeper, badpoeper, een badpoeper is Suus.'

En dan zingt papa:

'Weet je 't al, buurvrouw Truus, van het badpoepen van Suus?
Weet je 't al, buurman Ad, Suze poepte in het bad!
Weet je 't al, tante Wil, van de drollen uit haar bil?
Allemaal!
Badpoeper badpoeper, Suze is een badpoeper.
Badpoeper, badpoeper, een badpoeper is Suus.

Weet je 't al, ome Klaas, het was poep, het was geen...'

'Kaas!' roept Robin.

'Weet je 't al, ome Aart, het was poep, het was geen...'

'Taart!' roept Robin.

Hij schatert. Het is een erg goed lied.

Dan zingt papa:

'Weet je 't al, ome Kas, misschien deed ze ook een plas.'

'Dat wil ik niet!' schreeuwt Robin.

Hij zit midden in Suzes plas! Hij heeft opeens overal jeuk. Alweer! Hij gaat gauw staan en klimt uit het bad.

'Weet je 't al, tante Lies,' zingt papa, 'Robin vond het heel erg vies!'

'Ik wil onder de douche!' roept Robin.

Douche

En dan, ja hoor, dan staat Robin wéér onder de douche!

Stamp

Papa is ziek!

Mama zegt het: papa is ziek.

Het is vroeg in de ochtend. Suze ligt te spelen en te zingen in de box. Mama drinkt een kopje thee en leest de krant. Robin staat met zijn blote voeten midden in de kamer. Knor zit op zijn hoofd.

'Waar is papa dan?' vraagt Robin.

'Boven, in het grote bed.'

Robin kan het niet geloven. Mama leest de krant en drinkt een kopje thee, Suze ligt te zingen, en papa is ziek!

'Moet je niet voor papa zorgen?'

'Dat wil papa niet,' zegt mama. 'Hij wil alleen maar slapen. Hij wil rust aan zijn hoofd. Alleen maar rust. Als er iets is, fluit hij wel.'

'Heeft papa gespuugd?'

'De hele nacht,' zegt mama. 'Ik vond het zo zielig.'

Ja, dat vindt Robin ook.

'Heeft papa gehuild?'

'Ben je gek! Hij is gewoon ziek. Iedereen is wel eens ziek. En schoolmeesters zijn altijd ziek in de vakantie.'

Dat wist Robin niet.

'Als de kinderen naar school moeten,' zegt mama, 'willen de meesters niet ziek zijn, dat snap je. Daarom worden ze ziek in de vakantie.'

Robin knikt. Hij snapt het. Het is een goed systeem.

'Heeft papa koorts?' vraagt hij.

'Nou en of,' zegt mama. 'Zijn voorhoofd is zo heet, je kunt er een ei op bakken.'

'Heb je dat gedaan?'

Mama lacht. 'Natuurlijk niet,' zegt ze. 'Dan komt er zout in zijn ogen.'

Robin wil niet dat mama lacht.

'Mag ik naar papa toe?' vraagt hij.

'Gluur maar even om het hoekje,' zegt mama. 'Als papa slaapt, mag je hem niet wakker maken.'

Robin knikt. Hij draait zich om en loopt de gang in. Naar de trap.

Hij kijkt omhoog. Je kunt het einde van de trap niet zien want de trap maakt een bocht. Eerst moet je twaalf treden recht omhoog, stamp stamp stamp stamp stamp stamp stamp stamp stamp stamp stamp stamp, dan de bocht om, en dan nog drie treden, stamp stamp stamp, naar rechts. Dan ben je er. Dan ben je boven. En daar zit de wolf. Met zijn gouden ogen.

Robin wil naar papa. Maar de wolf laat hem er vast niet langs, de wolf heeft altijd honger. Wat moet

Robin doen? Moet hij gaan vechten met de wolf? Net als met Sil? Dat was niet echt vechten, dat was stoeien, dat was lollig. Dit is niet lollig. Moet hij de wolf in zijn ogen spugen en toedeloe zeggen? Dat helpt alleen als papa het doet. En papa is ziek.

Robin zet een voet op de eerste tree van de trap, dan zijn andere voet op de tweede, en dan... gaat hij zitten op de derde tree en zet Knor op zijn schoot. Knor bibbert aan alle kanten. Robin friemelt aan de staart van Knor. Hij friemelt tot er geen krul meer in zit maar een knoop.

'We moeten een spreuk bedenken, Knor,' zegt Robin, 'een toverspreuk om de wolf weg te jagen.'

Knor weet al meteen een goeie: Ga weg wolf!

Ze zeggen het een paar keer:

'Ga weg wolf! Ga weg wolf! Ga weg!'

Het helpt niet. De wolf zit nog steeds boven aan de trap. Robin weet het zeker. Het is ook geen toverspreuk, denkt Robin, het zijn drie gewone woorden op een rij. Daar is de wolf niet bang voor. Daar lacht hij om. Er moeten toverwoorden in de spreuk. Robin knijpt zijn ogen stijf dicht en fluistert:

'Stomme wolf, ik trek je vel eraf,
dan zien we wie je bent.
Maar dat wisten we allang.
Zo sterk zijn wij, zo sterk zijn wij.
O rode papaver, boem pats knal.

Ik spuug in je ogen
en ik trap op je klauwen. Hard.
En ik bind je bek dicht en ik verbrand je vel.
Zo sterk zijn wij, zo sterk zijn wij.
O rode papaver, boem pats knal!'

Robin doet zijn ogen open en luistert. Boven klinkt een vreemd geluid. Is het de wind die in de schoorsteen blaast? Is het een duif die een nest bouwt in de dakgoot? Is het een deur die langzaam opengaat? Is het papa die zich omdraait in bed? Nee, denkt Robin, het is de wolf die kwaad is om wat ik heb gezegd.

De spreuk heeft niet geholpen.

'Mama!' roept Robin. 'Mama, wil je me even helpen?'

Lift

Mama komt de gang in.

'Wat is papaver ook alweer?' vraagt Robin.

'Roep je me daarvoor?'

'Ja.'

'Een papaver is een klaproos. Een mooie rode bloem met dunne, heel dunne blaadjes. Hij groeit langs de kant van de weg, tussen de blauwe korenbloem en het gele koolzaad. Ze staan heel mooi bij elkaar, die drie. Ik zal je ze laten zien als we boodschappen gaan doen.'

'Wanneer gaan we?' vraagt Robin.

'Als de dokter is geweest.'

Zo ziek is papa dus, de dokter moet komen.

Robin moet nu echt naar papa toe. Om hem vrolijk te maken. Hij moet mama vertellen van de wolf. Dan kan mama hem naar boven brengen.

'Mama,' zegt Robin, 'er zit een knoop in de staart van Knor.'

'Hoe krijg je dat voor elkaar?' vraagt mama.

Ze pakt Knor en haalt de knoop uit zijn staart.

'Knor is bang,' zegt Robin, 'daar komt het van.'

'Waar is Knor bang voor?'

‘Voor de wolf.’

‘Welke wolf?’

‘Die boven aan de trap zit.’

‘Wie heeft dat nou weer verzonnen?’

‘Knor,’ zegt Robin.

‘En dat geloof jij?’ vraagt mama.

Robin knikt.

‘Ik wil die wolf wel eens zien,’ zegt mama. ‘Maar eerst kijken of Suze lekker ligt.’

Mama steekt haar hoofd de kamer in.

‘Die ligt heerlijk te spelen,’ zegt ze. ‘Suze is nergens bang voor.’

‘Ze weet nog niet eens dat dat kán,’ zegt Robin.

‘Weet je wat?’ zegt mama. ‘Als jij zo bang bent voor de trap, gaan we met de lift.’

Ze tilt Robin en Knor op.

‘Ik ben de lift,’ zegt ze. ‘Als je ergens wilt stoppen, moet je op mijn neus drukken. Mijn neus is het knopje van de lift.’

Mama zet haar voet op de eerste tree van de trap.

‘Eerste etage,’ zegt ze.

Dan zet ze haar voet op de tweede tree.

‘Tweede etage.’

Derde tree.

Robin drukt op mama’s neus.

‘Pling!’ zegt mama. Ze staat stil op de trap en zegt: ‘Derde etage: hoeden en petten en damescorsetten.’

Ze loopt verder omhoog.
Vierde tree.
'Vierde etage.'
Vijfde tree.
'Vijfde etage.'
Zesde tree.
Robin drukt weer op mama's neus.
'Pling!' zegt mama en ze staat stil. 'Zesde etage: dropjes om te snoepen en pilletjes om te poepen.'

Zevende tree.
'Zevende etage.'
Achtste tree.
'Achtste etage.'
Negende tree.
'Negende etage.'

Tiende tree. Ze zijn al bijna bij de bocht! Robin drukt gauw op mama's neus.

'Pling!' zegt mama. 'Tiende etage: zonnebrillen, kikkerbillen, meisjesgillen.' Met een hoog stemmetje roept ze: 'Hellepie!'

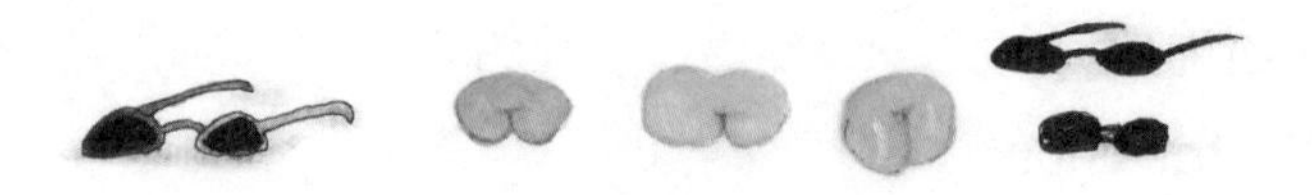

Daar moet Robin om lachen. Mama loopt verder omhoog.

Elfde tree.

'Elfde etage.'

Twaalfde tree.

'Twaalfde etage.'

Nu gaan ze de bocht om. Nu kan Robin de overloop zien. Het is er een beetje donker. Hij ziet geen glimmende ogen van goud, geen blikkerende scherpe tanden. De wolf is er niet.

Mama loopt de laatste drie treden op. Ze zijn boven.

'Pling!' zegt mama. 'Bovenste verdieping: ziekenhuis, koorts en spugen, papa's in bedjes.'

Ze zet Robin en Knor op de grond en kijkt om zich heen.

'Waar is die wolf nou?' vraagt ze.

'Die zit niet bij de lift,' zegt Robin, 'die zit bij de trap.'

Hahaha

Mama geeft Robin een tikje tegen zijn billen.

'Ga maar bij papa kijken,' zegt ze. 'Maar als hij slaapt, niet wakker maken.'

Robin loopt naar de slaapkamer van mama en papa. Hij is veilig. De wolf is er niet vandaag. De wolf is bang voor mama. Robin doet de deur van de slaapkamer open en gluurt naar binnen.

Daar ligt papa. Robin kan alleen zijn hoofd zien. Papa's ogen zijn dicht.

'Dag papa,' fluistert Robin.

Papa doet zijn ogen open. Zijn hand komt onder de deken vandaan en zwaait naar Robin.

'Ben je heel erg ziek?' vraagt Robin.

'Een beetje wel,' zegt papa zacht.

'Kun je nog lachen?' vraagt Robin.

'Hahaha,' zegt papa.

Lacht hij echt? Of zegt hij alleen maar hahaha?

'Doe nog eens,' zegt Robin.

'Hahaha,' zegt papa.

Dat klinkt niet goed. Dat klinkt niet vrolijk. Het klinkt als iemand die Hahaha heet en niet blij is met zijn naam. Hoe heet je? Hahaha.

'Probeer het nog eens,' zegt Robin.
'Hihihi,' zegt papa.
Klinkt ook niet goed.
'Wacht,' zegt Robin. 'Ik ga je echt laten lachen.'
Hij rent de overloop op en gaat boven aan de trap staan. Nog steeds geen wolf.
'Mama!' roept hij.
'Wat is er?' roept mama.
'Waar is de poppenkast?'
'Op zolder!'
Robin rent de slaapkamer in.
'Papa, wil jij de poppenkast voor mij pakken?'
Oei! Stom! Dat kan helemaal niet. Papa is ziek. Hij heeft koorts. Hij kan de poppenkast niet pakken. Als hij het toch doet, spuugt hij de hele zolder onder. Robin rent weer naar de trap.
'Mama!'
'Wat is er?'
'Waar zijn de poppenkastpoppen?'
'Weet ik niet. In een verhuisdoos.'
'Waar is de verhuisdoos?'
'Weet ik niet. Op zolder.'
'In welke doos zitten ze?'
'Weet ik niet!'
'Wil je die voor mij pakken?' roept Robin.
'Nee,' roept mama. 'Ik ben met Suze bezig.'
O.

Robin wil poppenkast spelen voor papa. Om hem vrolijk te maken. Hij wil een verhaal bedenken over Jan Klaassen en Katrijn en de lange Dood van Pierlala. Hij wil ze laten dansen en vechten en zingen. Dan moet papa lachen en dan wordt hij weer beter. Maar de poppenkast staat op zolder.

Robin kan ook achter papa's bed gaan zitten, aan het voeteneind, op zijn knieën, en de poppen boven het bed houden en zo zijn verhaal spelen. Maar de poppen zitten nog in een doos en mama weet niet in welke doos. Robin weet het ook niet.

Wat nu?

Robin loopt op zijn tenen terug naar de slaapkamer en kijkt naar papa. Papa's ogen zijn weer dicht.

'Slaap je?' fluistert Robin.

'Was het maar waar,' zegt papa.

Hij doet zijn ogen open en glimlacht naar Robin. Hij glimlacht verdrietig en moe. Robin móét poppenkast voor hem spelen.

Nu!

Hij zet Knor op de vloer bij het voeteneinde van het bed en rent naar de badkamer. Hij pakt alles wat hij daar vindt: zijn tandenborstel, de tube tandpasta, een stukje witte zeep, een fles shampoo en een handdoek. Met al die spulletjes rent hij terug naar papa's bed.

'Papa!' zegt hij. 'Papa, papa, papa... ik ga poppenkast voor je spelen.'

'Fijn,' zegt papa.

Papa vindt het goed.

Robin gaat op zijn knieën zitten. Aan het voeteneinde van papa's bed. Hij houdt de handdoek omhoog.

'Dit is het gordijn,' zegt hij. 'Het gordijn gaat open.'

Robin laat de handdoek vallen. Hij pakt de fles shampoo en houdt de fles boven het bed.

'Hallo,' zegt hij. 'Ik heet Sjam. Ik heet Sjam Po. Ik ben de baas van de poppenkast. We gaan een verhaal voor jullie spelen. Het gaat over een zieke papa. Hij is ziek. En hij kan alleen beter worden als hij moet lachen. Dit is de zieke papa.'

Robin legt Knor op het bed. Op het voeteneinde. Knor ligt op zijn rug. Met zijn pootjes omhoog. Dat is grappig. Robin is even stil. Hij luistert. Papa lacht niet. Robin moet nog grappiger zijn.

'De papa is heel erg ziek,' zegt hij. 'Heel erg. De dokter moet komen. De dokter komt.'

Robin pakt de tandenborstel en houdt die boven het bed.

'Hallo,' zegt hij. 'Ik ben niet de tandarts, ik ben de dokter. Ik ben dokter Borstel. Heeft u koorts, meneer?'

Robin steekt de steel van de tandenborstel in het bekkie van Knor.

‘Oei oei oei, wat heeft u hoge koorts!’ zegt dokter Borstel. ‘Ik ga een eitje bakken op uw voorhoofd.’

Robin legt het stukje zeep op het voorhoofd van Knor. Dan is hij stil. Hij luistert. Papa lacht nog steeds niet. Gek is dat. Robin moet nóg grappiger doen. Hij pakt de tandpasta en schroeft het dopje eraf. Hij houdt de tube en dokter Borstel omhoog.

‘Ik ga u een drankje geven,’ zegt dokter Borstel tegen de zieke papa Knor. ‘Als u dat drankje drinkt, moet u heel hard lachen. En dan wordt u beter.’

Robin duwt de tube tandpasta tegen het bekkie van Knor en hij knijpt. Prrrwwwgggt, zegt de tube. De wangen van Knor worden spierwit. Alsof Knor zich gaat scheren. Robin moet er vreselijk om lachen.

Maar hij lacht niet lang. Hij luistert. Nee. Papa lacht niet. Robin pakt de fles shampoo.

'Ik ben weer Sjam Po,' zegt hij. 'Wij weten niks grappigs meer. Het gordijn gaat dicht.'

Robin houdt de handdoek omhoog en gaat staan. Hij gluurt om de handdoek heen en kijkt naar papa.

Papa slaapt.

Robin loopt naar het hoofd van papa en geeft hem een kusje op zijn wang. Een piepklein kusje.

In het oude huis was papa nooit ziek. Misschien moeten ze daar weer gaan wonen.

Besmettelijk

'Zeg het eens, meester,' zegt de dokter, 'wat is er mis?'

'Ik voel me beroerd,' zegt papa.

'Koorts?' vraagt de dokter.

Papa knikt.

'Braken?' vraagt de dokter.

Braken is overgeven, dat weet Robin.

De dokter zit op de rand van papa's bed en Robin staat bij de deur te luisteren. Niemand stuurt hem weg.

'Ik heb de hele nacht overgegeven,' zegt papa. Zijn stem klinkt als de stem van een oude man.

'En moe zeker,' zegt de dokter.

'Hondsmoe,' zegt papa. 'Net alsof ik een jaar lang geen oog heb dichtgedaan.'

'Papa kan ook niet meer lachen,' zegt Robin.

'Dat dacht ik al,' zegt de dokter. 'Dit kan behoorlijk lang duren, meester. Je hebt een virus te pakken. Er zijn meer mensen in het dorp die er last van hebben.'

'Papa,' vraagt Robin, 'wat is een virus?'

'Vraag dat maar aan de dokter,' zegt papa.

'Een virus,' zegt de dokter, 'een virus... Een virus is een klein stofje dat door de lucht vliegt. Het is zó klein dat je het niet kunt zien. En soms, als je adem haalt, zuig je het per ongeluk naar binnen. En als het virus binnen is, gaat het daar akelige dingen doen. Het maakt je ziek.'

Robin doet zijn mond stijf dicht. Hij haalt geen adem meer. Hij wil geen virus naar binnen zuigen. Hij wil niet ziek worden.

'Je moet zeker twee weken in bed blijven, meester,' zegt de dokter. 'Je moet warm blijven, van je tenen tot je hoofd.'

'Maar het is zomer!' zegt papa. 'Het is overal warm! Ook in de tuin!'

'Niks mee te maken,' zei de dokter. 'Je blijft in bed.'

'Oké,' zegt papa.

'Als je niet in bed blijft,' zei de dokter, 'word je nog veel zieker.'

'Oké,' zegt papa.

Hij doet zijn ogen dicht.

Robin stikt bijna. Hij heeft nog steeds geen adem gehaald. Hij krijgt het zó benauwd dat hij moet hoesten.

De dokter draait zich om.

'Ben jij ook ziek?' vraagt hij.

'Nee,' zegt Robin en hij hijgt. 'Ik haal geen adem meer, ik wil niet ziek worden.'

'Als je geen adem haalt, ga je dood,' zegt de dokter.

O.

Robin haalt toch maar weer een beetje adem. Met

z'n hand voor z'n mond. Zo kan het virus niet naar binnen.

'Als je niet ziek wilt worden, Robin,' zei de dokter, 'kun je beter niet bij je papa in de buurt komen. Niet op zijn bed spelen, geen kusjes geven. Dit virus is erg besmettelijk.'

Dat zegt de dokter.

En dan: boink, deur dicht, dag dokter.

Arme papa.

'Wat is besmettelijk?' vraagt Robin.

'Dat je het ook kunt krijgen,' zegt mama. 'Als jij dicht bij papa komt, kun je net zo ziek worden als papa. Je moet heel voorzichtig zijn.'

'Maar,' zegt Robin, 'maar... ik héb al op papa's bed gespeeld, ik heb poppenkast voor hem gespeeld, op zijn bed, en daarna... heb ik papa een kusje gegeven! Hij werd er niet wakker van.'

'Misschien moet jij een paar dagen bij iemand gaan logeren,' zegt mama. 'Tot papa weer een beetje beter is. Bij wie wil je graag logeren?'

Daar moet Robin over nadenken.

'Wil je bij Pieter logeren? Of bij Sil? Of bij Alexander?'

Robin weet het niet.

'Of liever bij oom Klaas en tante Betty?'

Robin weet het nog steeds niet.

'Bij tante Wil?'

Opeens weet Robin het.

'Ik wil naar opa en oma!' roept hij.

Dat hij daar niet eerder aan gedacht heeft.

'Maar opa en oma wonen helemaal in de grote stad,' zegt mama.

'Dan kan oom Klaas me brengen, in zijn Mercedes Benz.'

'Ik weet niet of oom Klaas daar tijd voor heeft.'

'Wat je niet weet, moet je vragen,' zegt Robin.

Mama lacht. En tien minuten later weten ze het: opa en oma vinden het geweldig fijn dat Robin komt logeren en oom Klaas wil hem graag naar de grote stad rijden. In zijn Mercedes Benz. Vandaag nog. Dan kan Robin niet ziek worden.

'Maar,' zegt Robin, 'kun jij wel alleen voor papa zorgen?'

Mama tilt Robin op en geeft hem een smakkerd van een zoen.

'Maak je niet ongerust,' zegt ze, 'ik kan heel goed voor papa zorgen.'

'En wordt Suze niet ziek?'

'Ik zal goed op haar letten,' zegt mama. 'Ik zal zorgen dat ze niet de hele dag de trap op klimt en naar papa rent en op zijn bed gaat dansen.'

Ha! Suze kan nog helemaal niet klimmen en rennen en dansen! Ze ligt te slapen in de box, met haar duim in haar mond.

Alles is goed.

Robin en mama lopen de trap op. Mama gaat naar het kamertje van Robin, om zijn tas in te pakken. Schone broeken, schone sokken, schone hemden, tandenborstel. Robin gaat naar de slaapkamer van papa en mama. Hij gaat papa gedag zeggen. Hij gaat papa géén kus geven. Hij kijkt wel mooi uit. Hij gaat héél voorzichtig doen.

Hij trekt de deur voorzichtig een stukje open. Hij kijkt voorzichtig door het kiertje. Daar ligt papa. Hij heeft nog steeds zijn ogen dicht.

'Dag papa,' zegt Robin.

Hij zegt het heel voorzichtig.

'Dag lieverd,' zegt papa.

'Ik ga naar opa en oma,' zegt Robin.

'Heel verstandig,' zegt papa.

'Ik mag je geen kusje geven,' zegt Robin.

'Weet ik,' zegt papa. 'Maar we kunnen elkaar een kusje toeblazen.'

Papa geeft een kusje op zijn vingers en blaast het kusje van zijn vingers af, ffffft, naar Robin toe.

'Word ik daar niet ziek van?' vraagt Robin.

'Nee,' zegt papa, 'daar word je niet ziek van.'

'Word maar gauw beter,' zegt Robin.

'Doe ik,' zegt papa. 'Doe je de groeten aan oma en opa?'

Robin knikt. Hij knikt voorzichtig. Zo voorzichtig

als… een kerstbal. Als een glazen kerstbal op de vensterbank. En het raam staat open. En het waait. Heel voorzichtig doet Robin de deur van de slaapkamer dicht.

Hij gaat logeren. Bij opa en oma. In de grote stad. Vier weken geleden was Robin ook bij opa en oma, maar toen waren ze aan zee. Toen was papa nog niet ziek. Toen gingen mama en papa verhuizen. Van het oude huis naar het nieuwe huis. Misschien, denkt Robin, misschien… als ik bij opa en oma ben… misschien gaan ze dan weer naar het oude huis verhuizen. Dan kom ik terug en dan mag ik weer in mijn eigen kamertje slapen. Met de muur aan de goede kant. Dan heb ik weer een klimboom in de tuin. Dan staat het huis van oom Klaas en tante Betty weer aan de overkant. Dan wonen we weer in het huis waar Suze is geboren. Het huis waar papa nooit ziek was. Daar zit geen wolf boven aan de trap. Niet één. Dan wonen we gewoon weer thuis.

'Hoe kan dat nou weer?' roept mama in de verte. 'Knor zijn hele kop zit onder de tandpasta!'

O ja.

Klompje

'Wil jij nog een pepermuntje?' vraagt opa.

Dat is een makkelijke vraag. Natuurlijk wil Robin nog een pepermuntje. Robin en opa zitten in het houten huisje bij de brug. Als er een groot schip komt, moet de brug open. Een groot schip kan niet onder de brug door. Dan moet opa de brug opendoen. Want opa is brugwachter.

De brug van opa ligt midden in de grote stad. Over een gracht. Vlak bij de rivier. Als je door het raam van het houten huisje naar buiten kijkt, zie je de rivier. De rivier is breed, de overkant is ver weg. Aan de overkant staan grote huizen. Ze hebben mooie daken. Sommige zijn schuin, andere lijken op een trap, er zijn er ook die op een klok lijken. Er zijn veel ramen in de huizen. Misschien zit er een jongen achter een van die ramen, denkt Robin, een jongen die naar de overkant kijkt. Dan ziet hij dit houten huisje bij de brug.

Opa heeft zijn mooie pet op, de pet met de zwarte glimmende klep, en hij heeft zijn jasje met de gouden knopen aan. Gouden knopen op zijn buik en op zijn mouwen. Je kunt goed zien dat opa brugwachter is.

Ja, opa is brugwachter, maar er komt geen schip! Ze wachten en ze wachten, Robin en opa, en ze nemen nog een pepermuntje, en nog een, en nog een, en dan zijn alle pepermuntjes op.

'Op,' zegt opa.

'Perdepop,' zegt Robin.

Opa gooit het papier van het rolletje pepermunt in de prullenbak en dan... ligt er een schip voor de brug. Robin en opa lopen gauw naar buiten.

'Wil jij op de knop drukken?' vraagt opa.

'Krijg ik dan geen schok?' vraagt Robin.

'Natuurlijk niet. Ik krijg toch ook nooit een schok.'

Dan wil Robin wel.

Opa maakt het kastje bij de brug open en hij tilt Robin op. Robin drukt met zijn vinger op de groene knop. Er rinkelt een bel. Keihard. De rood en wit gestreepte slagbomen gaan naar beneden. De fietsers en de brommers en de auto's staan stil. De brug begint te zoemen. De brug gaat omhoog. Het is een grappig gezicht: er gaat gewoon een heel stuk straat omhoog. Met de hekjes erbij. Het is een elektrische brug, dat weet Robin. Maar hij weet niet wat elektrisch is. Hij vraagt het aan opa.

'Opa, wat is elektrisch?'

'Help,' zegt opa. 'Dat weet ik niet zo goed. Die vraag is te moeilijk voor mij.'

Hij geeft Robin de hengel. Een lange stok met aan

het puntje een stuk touw. Aan het touw hangt een klompje.

Het schip vaart onder de brug door en Robin laat het klompje naar beneden zakken. De kapitein van het schip pakt het klompje en doet er wat geld in. Hebbes. Robin haalt het klompje omhoog. De schipper tikt aan zijn pet en Robin tikt aan zijn haar. Opa pakt het geld uit het klompje.

'Goede vaart!' roept hij naar de schipper.

'Dank je!' roept de schipper.

'Goede vaart!' roept Robin.

'Jij ook bedankt, brugwachtertje,' zegt de schipper.

Robin drukt weer op een knop en de brug gaat dicht. Heel langzaam. Hij zakt en hij zakt en hij zakt en dan... Boink! Het geluid zoemt nog een poosje na in het ijzer. De bel rinkelt en de slagbomen gaan omhoog. Nu kunnen de brommers en de fietsers en de auto's er weer overheen.

'Ik snap niet hoe het kan,' zegt Robin.

'Ik ook niet,' zegt opa.

Ze gaan het houten huisje in.

'Ik weet alleen,' zegt opa, 'dat elektriciteit erg handig is. Het komt door draden uit een fabriek en dan komt het in de huizen en dan gaan de lampen branden en er komt muziek uit de radio. En het komt in de bruggen en dan gaan de bruggen omhoog. Als je op de knop drukt.'

'En het komt in de molens en dan gaan de molens draaien,' zegt Robin. Hij snapt het. 'En dan maken de molens de wind.'

'Jij snapt er niks van,' zegt opa. 'Jij draait de dingen om. De molens draaien omdat de wind in de wieken blaast en doordat de wieken draaien máken ze juist elektriciteit. Zo ongeveer dan. Sjonge, wat ingewikkeld.'

'Maar...' zegt Robin.

'Wacht even,' zegt opa. Hij gaat aan tafel zitten en trekt een la open. Hij pakt een boekje en een potlood. Met het potlood schrijft hij in het boekje.

'Wat doe je?' vraagt Robin.

'Ik schrijf op dat ik geld heb gekregen van de schipper van die boot,' zegt opa.

'Waarom doe je dat?'

'Dat moet.'

'Van wie?'

'Van de baas van de bruggen,' zegt opa.

'Ben jij niet de baas van de bruggen?'

'Ik ben de baas van deze brug,' zegt opa, 'maar niet van alle bruggen.'

'Papa is baas van de school,' zegt Robin.

'Maar niet van alle scholen,' zegt opa. 'Je kunt niet alles hebben.'

Dat is waar. Als je alles hebt, is de hele wereld je tuin en moet je heel veel gras maaien. Robin wil niet

alles hebben. Hij loopt naar de deur en kijkt naar buiten. Als je alles hebt, is de hele grote stad van jou en moet je alle ramen lappen. En alle duiven voeren.

Er komt een rij oude mannetjes langs. Ze wonen in het oudemannetjeshuis. Dat weet Robin. Opa heeft het verteld. In de verte ziet hij Schoof van de flessenkelder. Schoof draagt lege flessen zijn kelder in en kijkt of er toch nog iets in zit. In die flessen. Schoof heeft ook niet alles. Hij heeft geen volle flessen.

'Kom,' zegt opa. 'We gaan kijken.'

Hij tilt Robin op en loopt naar buiten. Hij zet Robin op het hekje van de brug en houdt hem met zijn sterke armen stevig vast. Zo zit Robin veilig.

'Waar gaan we naar kijken?' vraagt Robin.

'Naar alles,' zegt opa. 'Je kunt niet alles hebben, maar je kunt wel naar alles kijken. Het is mooi hier.'

Ze kijken naar alles, Robin en opa. Ze kijken naar de rivier, naar de huizen aan de overkant, naar de schepen en hun schippers op de rivier, naar de meeuwen en de wolken, naar de zon die op alles schijnt.

'Wie goed kan kijken,' zegt opa, 'krijgt een hoofd vol mooie dingen.'

'Dat wil ik wel,' zegt Robin.

'Dat dacht ik al,' zegt opa.

'O ja!' zegt Robin. 'Dat wilde ik nog vragen: waar komt de wind vandaan?'

'Ik zal het je zeggen,' zegt opa. 'Het is eigenlijk een

geheim, maar omdat jij mijn kleinzoon bent, wil ik het jou wel vertellen. De wind komt uit de monden van kinderen die de hele dag vragen stellen. En als het moeilijke vragen zijn, dan stormt het. Dan waait mijn pet af.'

'Hou je pet dan maar stevig vast,' zegt Robin, 'want hier komt de moeilijkste vraag van de wereld: mag ik nog een pepermuntje?'

Park

Robin en opa zitten bij het raam. Ze kijken naar buiten. Ze zijn in het huis van opa en oma, driehoog, en beneden is een plein met hoge bomen. Tussen de bomen voetballen jongens. Langs de huizen lopen mensen. Robin zit bij opa op schoot.

'Kijk,' zegt opa. Hij wijst naar beneden. 'Daar voetbalde jouw papa ook altijd. Toen hij nog een jongen was.'

'Dat is lang geleden,' zegt Robin.

'Valt wel mee,' zegt opa. 'Ik weet het nog goed.'

'Papa is keeper,' zegt Robin. 'Hij staat altijd op doel.'

'Toen nog niet,' zegt opa. 'Toen rende hij vrolijk heen en weer over het plein. Dat was fijn om naar te kijken.'

Oma zit op de bank en leest de krant. Eigenlijk is de bank geen bank meer. Er liggen dekens op, en lakens, en er ligt een kussen. De bank is een bed geworden. In dat bed heeft Robin vannacht geslapen. Met Knor. Knor slaapt nog steeds. Hij ligt naast oma, onder de deken. Hij wordt niet wakker als oma een bladzijde omslaat.

Opa tilt Robin op en zet hem op de vloer.

'Oef, wat word je toch groot. Wanneer heb ik je voor het laatst gezien? Vier weken geleden? Je bent alweer groter geworden. En zwaarder.'

'En grappiger,' zegt Robin. 'Ik ben nu al net zo grappig als jij.'

'Veel grappiger,' zegt opa. 'Kom, we gaan voetballen.'

'Op het plein?' vraagt Robin.

'In het park,' zegt opa.

Hij haalt de bal van het balkon en gooit hem naar Robin. Robin vangt de bal op in zijn armen.

'Goeie keeper ben je,' zegt opa.

'Net als papa,' zegt Robin.

Ze gaan drie trappen af. Ze doen de deur open. Daarna doen ze hem weer dicht. Ze staan op het plein. Ze kijken naar boven. Oma staat achter het raam. Ze zwaait naar Robin en opa. Robin en opa zwaaien terug. Dan draaien ze zich om en kijken vooruit. Ze beginnen te lopen. Over het plein. Naar het park.

In het park zijn grote vijvers vol zwanen en eenden. Als zwanen jonkies hebben, moet je niet bij ze in de buurt komen. Want dan slaan ze je, met hun vleugels. Ze zijn zo sterk, ze kunnen je arm breken. Makkelijk. Maar het is zomer, de jonkies zijn al groot en zeilen als scheepjes achter hun mama en papa aan over het water. Voor eenden hoef je nooit bang te zijn, die willen alleen maar brood. Robin en opa hebben geen brood bij zich. Helemaal vergeten.

In het park zijn ook grote grasvelden. In de schaduw van de bomen liggen jongens en meisjes. Ze liggen dicht tegen elkaar aan en praten zacht. Je kunt niet verstaan wat ze zeggen. Als ze niet praten, zoenen ze. Ze zijn verliefd. Robin weet wat dat is, verliefd. Hij is verliefd op Eefje. Maar hij heeft haar al lang niet gezien.

Langs de vijvers en de grasvelden liggen brede paden. Daar rijden fietsers en daar wandelen moeders met kinderwagens. Vroeger, lang geleden, woonde Robin in de grote stad. Hij was nog een baby. Hij lag ook in een kinderwagen en mama reed hem door het park. Dit park. Mama heeft het vaak verteld. Robin wilde nooit slapen als hij door het park gereden werd. Hij wilde naar de bomen kijken, naar de dansende takken en de ritselende blaadjes. 'Dat vond je zo mooi,' zegt mama dan, 'dat zag ik aan je oogjes.' Robin kijkt omhoog. Hij vindt de bomen nog steeds mooi.

Op de stammen van de bomen zijn bordjes getimmerd. Daarop staat geschreven hoe de bomen heten. Robin kan nog niet lezen, maar opa wel.

'Beuk, eik, esdoorn, kastanje,' zegt opa. 'Als het herfst wordt, gaan we weer in het park wandelen.

Dan rapen we beukennootjes. Die kun je eten. En eikels en kastanjes. Daar kunnen we beestjes van knutselen. En we gooien de helikoptertjes van de esdoorn de lucht in en dan kijken we hoe ze wentelend naar beneden komen. Zullen we dat doen?'

Dat spreken ze af.

Robin rent naar een fonteintje dat langs het pad staat. Het is een groen paaltje met een knop. Als je op de knop drukt, spuit er water uit de bovenkant van het paaltje. Robin drukt op de knop. Het water spuit omhoog. Hij houdt zijn hoofd erboven, zo dat het water precies in zijn mond komt. Dan doet hij zijn mond dicht en slikt het water door. Hij doet het nog een keer. En nog eens. Hij neemt kleine hapjes water. Zo moet dat. Het is het lekkerste water van de wereld.

Fantast

'Kijk,' zegt opa, 'zie je die meneer daar? Dat is een schrijver.'

Robin ziet een oude man met een witte hoed. Hij zit op een bankje en kijkt in de verte.

Robin denkt na. Wat is een schrijver ook alweer? Ja, dat is iemand die schrijft. Nogal logisch. Maar bijna iedereen schrijft. Papa schrijft op het schoolbord, mama schrijft brieven, oma schrijft boodschappenlijstjes, opa schrijft in zijn boekje in het huisje bij de brug. Iedereen kan schrijven. Alle grote mensen. En kinderen ook, als ze ouder zijn. Maar wat is dan een schrijver?

Hij vraagt het aan opa.

'Nou ja!' zegt opa. 'En jij hebt zoveel boeken thuis! Al die boeken zijn geschreven door schrijvers.'

'Iedereen kan toch schrijven,' zegt Robin.

'Daar heb je gelijk in,' zegt opa. 'Maar niet iedereen schrijft boeken. Een schrijver schrijft boeken. Eerst gaat een schrijver lang nadenken. Hij denkt tot hij een verhaaltje heeft bedacht. Een verhaaltje in zijn hoofd. Hij denkt tot hij het verhaaltje mooi vindt.'

'Dat kan ik ook!' zegt Robin.

'Nou en of,' zegt opa. 'Dat kun jij ook. Dat heet fantaseren. Jij hebt veel fantasie. Jij bent een fantast.'

Robin knikt. Een fantast, dat klinkt goed. Dat wil hij wel zijn.

'Maar,' zegt opa, 'een schrijver fantaseert het verhaaltje niet alleen, hij schrijft het ook op.'

'Met mooie woorden, denk ik,' zegt Robin.

'Welnee,' zegt opa. 'Je kunt met gewone woorden ook een mooi verhaal schrijven. Je moet de woorden alleen op de goede plek zetten – dat is de kunst.'

Opa denkt even na.

'Een verhaal is net als dit park,' zegt hij dan. 'Er staan gewone bomen. In de vijver zit gewoon water en het gras op de veldjes is gewoon gras. Er staan gewone bankjes en gewone hekjes en gewone fonteintjes. Maar alles is zo neergezet, dat ik altijd weer denk: goh, wat is dit een mooi park. Zo is het ook met een verhaal. Je kunt gewone woorden schrijven, als je ze maar op de goede plek zet.'

'Ik kan nog niet eens gewone woorden schrijven,' zegt Robin.

'Dat komt nog,' zegt opa. 'Over een jaar leer jij alle woorden schrijven. Allemaal. En dan kun je de verhalen in je hoofd allemaal opschrijven.'

'En dan ben ik een schrijver,' zegt Robin.

'Dan ben jij een schrijver,' zegt opa.

Robin knikt tevreden.

Over een jaar is hij een schrijver.

Ze lopen langs de oude schrijver op zijn bankje.

'Die schrijver kijkt niet zo vrolijk,' zegt Robin als ze iets verderop zijn.

'Hij zit te fantaseren,' zegt opa. 'Hij is vergeten dat hij op een bankje in het park zit. Hij kijkt naar alle mooie dingen in zijn hoofd. Hij ziet ons niet en hoort ons niet. Misschien zit hij op een prachtig eiland in zijn hoofd.'

Opa loopt een grasveld op. Hij gooit de bal een stukje voor zich uit en geeft hem een geweldige schop. De bal vliegt hoog en hoger en nog hoger, tot hij hoog boven de bomen is. Je kunt hem bijna niet meer zien.

'Da's een goeie,' zegt Robin.

'Die komt voorlopig niet naar beneden,' zegt opa.

'Ik denk,' zegt Robin, 'dat de mannetjes op de maan hem vangen en ermee gaan spelen. Dan schoppen ze hem pas naar beneden als ze naar bed moeten.'

'Zal ik je eens wat vertellen?' zegt opa. 'Vroeger, toen ik een jonge vent was, kon ik nog veel hoger schoppen. Ik had toen een mooie grote witte voetbal met een lief gezicht erop getekend. En die heb ik eens een schop gegeven, zo'n harde schop... die is nooit meer naar beneden gekomen. Ik heb hem nooit meer gezien.'

'Ik wel,' zegt Robin. 'Als het donker is, kun je hem

nog zien. Dan zie je hem heel hoog in de lucht. Wit met een lief gezicht. Jouw bal heet nu de maan.'

'Moet je opschrijven,' zegt opa.

'Kan ik toch nog niet,' zegt Robin.

'O nee,' zegt opa.

Hij gaat op een bankje zitten.

'Kom,' zegt hij, 'we gaan zitten wachten tot onze bal naar beneden komt.'

Robin gaat naast opa zitten. De bal ligt allang weer in het gras, dat weet hij best, hij kan hem zien liggen, hij kan hem aanraken met zijn voet, maar soms is fantaseren leuker dan echt.

'Dan gaan we ondertussen van het uitzicht genieten,' zegt Robin.

Hij doet zijn ogen dicht.

'Wat een mooi uitzicht,' zegt hij.

'Wat zie je?' vraagt opa.

'Ik ben op een prachtig eiland in mijn hoofd,' zegt Robin.

'Ik ook,' zegt opa.

Zolder

Het is avond. Robin en opa en oma hebben lekker gegeten en ze hebben samen afgewassen. Opa waste, Robin droogde, oma droogde alles nog een keer en zette de borden en de glazen in de kast. Nu zitten Robin en oma op de bank in de voorkamer, de bank die nu het bedje van Robin is. Ze zitten op de deken. Oma leest voor uit een boek. Het boek is geschreven door een schrijver. Het gaat over een dikke jongen en een dunne jongen en het is geweldig grappig.

Opa zit aan de tafel in de achterkamer en leest de krant. Dat is moeilijk, want de kat ligt op de krant. De kat heet Flip. Flip slaapt. Hij is al oud. Hij slaapt op de krant. Opa leest om Flip heen. Hij leest de

woorden die hij kan zien en als hij die allemaal gelezen heeft, pakt hij Flip met twee handen voorzichtig vast en schuift hem naar een ander stuk van de krant. Dan ligt Flip op de woorden die opa al gelezen heeft en kan opa nieuwe woorden zien. Flip slaapt gewoon door, hij wordt nergens wakker van. Flip lijkt een beetje op Knor.

Maar Flip lijkt ook heel erg *niet* op Knor. Hij is bijvoorbeeld een kat en geen varken. En hij is wit met rode vlekken en niet roze. Hij heeft een lange staart zonder krul en geen klein staartje met een krul. En... Flip is bang voor Robin.

Robin kan niet begrijpen dat iemand bang is voor hem.

Nou ja, het is weer eens iets anders.

Het is wel jammer, want Robin wil Flip graag aaien. Hij probeert het vaak maar het lukt nooit. Hij gaat het nog een keer proberen. Hij staat op van de bank.

'Wacht even, oma,' zegt hij. 'Ik ben zo terug.'

Hij loopt naar de achterkamer. Op zijn tenen. Hij is al bijna bij de tafel. Hij steekt zijn hand uit en... Ja hoor, Flip heeft hem door. Zijn ogen floepen open, zijn pootjes rennen al voor hij staat, kritsj kratsj, zijn nagels gaan door de krant heen, hij springt van tafel en rent de deur uit.

'Dank je,' zegt opa. 'Nu kan ik de bladzij omslaan.'

Hij slaat de bladzijde van zijn krant om. 'Flip houdt niet van kinderen,' zegt hij. 'Gek hè?'

Robin rent de deur uit. Achter Flip aan. De gang in. Flip is niet in de gang en niet in de keuken en niet in de slaapkamer van opa en oma. Ha! De deur naar het trappenhuis staat open. Robin gaat de deur door. Aan de ene kant ziet hij drie lange trappen die naar beneden gaan, naar de buitendeur, naar het plein. Robin kijkt helemaal naar beneden maar hij ziet Flip niet. Aan de andere kant is de trap naar zolder.

Robin roffelt de trap op.

Het is niet donker op zolder. Robin ziet de drie kamertjes die daar zijn. Hij ziet ook wat er in de kamertjes staat. De deuren zijn van houten tralies, daar kun je tussendoor kijken. Het eerste kamertje is van Van den Brink, die woont eenhoog. Het tweede kamertje is van Broekhuizen, die woont tweehoog. Het derde kamertje is van opa en oma. Robin duwt zijn neus tussen de tralies en kijkt.

Hij ziet opa's werkbank, met de bankschroef. Hij ziet de hamers en de nijptangen en de zagen die aan spijkers aan de muur hangen. Hij ziet de lades in de werkbank en hij weet wat erin zit: schroeven, spijkers, moeren, bouten, krammen. Er is ook een la vol ijzeren hangsloten. Robin snuift diep. Het ruikt lekker op zolder. Het ruikt naar ijzer. Nee, denkt Robin, het ruikt niet naar ijzer, het ruikt naar hangsloten.

'Robin?'

Dat is de stem van opa.

'Robin, waar ben je?'

'Op zolder!'

'Wat doe je daar?'

'Ik zoek Flip!'

'Die is allang naar buiten!'

Robin draait zich om. Aan de andere kant van de zolder is een raam. Het is een hoog raam. Er staat een trapje onder. Je kunt naar het raam klimmen. Het raam staat op een kier. Robin snapt het al: Flip is op het dak.

Robin klimt het trapje op en steekt zijn hoofd uit het raam. Hij is nu hoger dan de bomen en hoger dan de huizen aan de overkant. Hij ziet de blauwe lucht en witte wolken en in de verte de toren van een kerk. Iets verderop in de dakgoot zit Flip. Hij miauwt en kijkt boos naar Robin.

'Kom dan, Flip,' zegt Robin. 'Kom dan. Ik doe je niks.'

Robin schrikt van twee sterke armen die om hem heen geslagen worden.

'Ik vind het een beetje gevaarlijk wat je doet,' zegt opa, 'zo ver uit het raam hangen. Laat Flip maar lekker zitten. Flip redt zich wel.'

Opa tilt Robin van het trapje en zet hem op de vloer. Hij heeft zijn uniform aan. Zijn brugwachterskleren. De pet met de glimmende zwarte klep staat mooi recht op zijn hoofd.

'Mag ik even bij jouw werkbank kijken?' vraagt Robin.

'Morgen,' zegt opa. 'Nu moet ik naar de brug.'

'Maar het is avond!' zegt Robin.

''s Avonds varen er ook schepen door de grachten,' zegt opa, 'en die willen 's avonds ook door de brug. Daar moet ik bij zijn, dat snap je. Soms werk ik overdag, soms werk ik 's nachts.'

'Mag ik mee?'

'Ben je helemaal gek! Jij gaat straks lekker je bedje in.'

Dan niet. Ook goed.

'Ik heb de bal bij me,' zegt opa. 'Weet je wat jouw papa altijd deed? Kijk.'

Opa gooit de bal tegen de muur. De bal stuitert terug en opa vangt hem. Opa gooit nog eens en de bal stuitert terug en opa vangt hem weer. Dat is een leuk spel.

'Dit deed jouw papa altijd,' zegt opa. 'Soms de hele middag lang. Af en toe gooide hij de bal schuin naar voren en dan kwam de bal heel ver bij hem vandaan terug gestuiterd en dan maakte jouw papa een mooie duik om de bal te vangen. Zo oefende hij en zo is hij keeper geworden.'

'Dat wil ik ook,' zegt Robin.

'Dat dacht ik al,' zegt opa. 'Tot morgen.'

Hij geeft Robin de bal en een kus en hij loopt de trap af.

Robin gooit de bal tegen de muur. Recht naar voren. De bal stuitert mooi recht terug en Robin vangt hem in zijn armen. Hij gooit weer en weer en nog een keer. Het gaat goed. Hij kan de bal steeds vangen. Maar hij wil ook duiken, net als papa. Hij wil ook keeper zijn.

Robin gooit de bal schuin naar voren. Veel te schuin! De bal stuitert terug van de muur en rolt heel ver bij hem vandaan de zolder op. Als Robin zo lang was als een giraffe, met armen als vlaggenstokken, en handen zo groot als kussens, ja, dan kon hij de bal misschien vangen, maar nu niet. Robin pakt de bal en gooit hem nog een keer tegen de muur. Niet meer zo schuin. Beetje schuin. De bal stuitert terug en Robin duikt! Hij kan de bal bijna pakken. Hij...

Au!

Hij valt hard op zijn knie. Het doet gemeen zeer. Robin gaat zitten en kijkt naar de knie. Geschaafd. Hij ziet een witte plek. Hij wacht tot het bloed komt, maar dat komt niet.

Robin heeft even geen zin meer om keeper te zijn.

Banaantje

‘Moet je zien,’ zegt Robin tegen oma.

Oma kijkt naar zijn knie.

‘Doet het pijn?’ vraagt ze.

‘Beetje.’

‘Ik weet wat,’ zegt oma.

Ze pakt een chocolaatje uit een trommeltje en legt het op Robins knie.

‘Je mag het chocolaatje opeten als de pijn weg is,’ zegt ze.

Robin zit in opa’s luie stoel. Op zijn knie ligt het chocolaatje. Hij kijkt naar het chocolaatje. Het ziet er erg lekker uit. Maar de pijn is nog niet weg.

Robin kijkt maar eens ergens anders naar. Hij kijkt naar het balkon aan de achterkant van het huis. Het balkon heet veranda. Robin mag niet op de veranda komen. De veranda is zo oud, als je er op gaat staan, valt hij naar beneden. En wie erop staat, valt dan ook naar beneden. Dat doet pas pijn!

Eigenlijk doet Robins knie helemaal geen pijn meer. Ja, hij voelt het nog wel, maar het is niet erg. Hij kijkt naar het chocolaatje. Het lijkt op een banaantje. Er zit lekker zacht spul in. Ontzettend lekker zacht spul. Robin steekt zijn hand uit.

'Is de pijn weg?' vraagt oma.

'Bijna,' zegt Robin.

'Dat gaat goed,' zegt oma.

Het chocolaatje begint een beetje te smelten. Het plakt aan zijn knie. Straks smelt het helemaal! Dan heeft hij een vieze bruine knie, een vieze knie die ook nog een beetje pijn doet, en geen chocolaatje.

'Weg!' zegt Robin. 'De pijn is weg!'

Hij pakt het chocolaatje en steekt het in zijn mond.

'Mooi,' zegt oma, 'hoogste tijd. Piesen, poepen en naar bed!'

Robin blijft nog even zitten, tot het chocolaatje op is. Dan trekt hij zijn kleren uit, hij wast zich en trekt zijn pyjama aan. Hij poetst zijn tanden. Jammer. Hij had net zo'n lekkere smaak in zijn mond.

Oma zit op de rand van zijn bed. Ze heeft het boek over de dikke en de dunne jongen op haar schoot.

'Wil je me een verhaaltje vertellen?' vraagt Robin. 'Niet voorlezen, maar vertellen. Zelf bedenken.'

'Dat kan ik niet zo goed,' zegt oma.

'Ik wel,' zegt Robin.

'Ga je gang,' zegt oma. 'Ik luister.'

Robin duikt zijn bed in. De bank is zo zacht, daar kun je veilig op duiken. Hij kruipt onder de deken. Hij trekt Knor tegen zich aan en steekt zijn hand in het kussensloop.

'Nou,' zegt hij. 'Vroeger was de maan er nog niet. Toen was het altijd donker in de nacht. Je had alleen van die kleine sterretjes. Maar toen was er een jongen, en die had een mooie voetbal.'

'Hoe heette die jongen?' vraagt oma.

'Die jongen heette opa,' zegt Robin.

'Rare naam voor een jongen,' zegt oma.

'Hoe heet opa ook alweer?' vraagt Robin.

'Johannes,' zegt oma.

'Die jongen heette Johannes,' zegt Robin. 'En die had een mooie voetbal. Die bal kon licht geven in het donker. En er stond een lief gezicht op. Met ogen. En die jongen kon erg hard schoppen. En op een dag gaf hij de bal een schop. De bal vloog zo de hemel in. Heel hoog. En hij kwam nooit meer terug.'

'Nooit meer?' vraagt oma.

'Nooit meer,' zegt Robin. 'Hij is hem nog steeds kwijt.'

'Nou ja!' zegt oma.

'De maan bleef in de hemel hangen,' zegt Robin. 'O nee, die bal bleef in de hemel hangen. En dat is nu de maan.'

'Maar is Johannes nooit op een trap geklommen,' vraagt oma, 'of in een boom? Is hij nooit met een raket naar de hemel gegaan om zijn bal te pakken?'

'Nooit,' zegt Robin. 'Maar Johannes kreeg een kind en die heet Kees en die wou de maan pakken en aan zijn papa teruggeven.'

'Is dat jouw papa Kees?' vraagt oma.

'Ja,' zegt Robin, 'en papa is keeper. Hij heeft geoefend op zolder. En papa sprong omhoog naar de hemel om de maan te pakken.'

'En?' vraagt oma.

'Maar zo hoog kan papa niet springen,' zegt Robin. 'En daarom hangt de maan nog steeds aan de hemel. Maar het is eigenlijk de bal van opa.'

'Mooi verhaal,' zegt oma.

'En ze leefden nog lang en gelukkig,' zegt Robin.

'Maar opa is wel zijn bal kwijt.'

'Dat vindt hij helemaal niet erg,' zegt Robin. 'We hebben allang een andere bal.'

'Wil jij de bal van opa niet pakken?' vraagt oma.

'Dat kan toch niet!' zegt Robin. 'Papa kan het ook niet.'

'In een verhaal kan alles,' zegt oma.

Dat is waar.

Robin denkt na.

'Goed dan,' zegt hij. 'Johannes had een zoon en die heette Kees en Kees had een zoon en die heette Robin en die maakte een trap naar de hemel. En boven aan de trap zat een wolf met scherpe tanden en ogen van goud, maar daar was hij niet bang voor. Hij pakte de maan en gaf hem terug aan opa. Toen was de maan weer een bal. Opa's bal. En ze voetbalden nog lang en gelukkig. Uit. En de wolf ging naar een ander land.'

'Prachtig,' zegt oma. 'Dank je. Welterusten.'

Ze buigt zich over Robin en geeft hem een kus.

'Wacht even,' zegt Robin. 'Ik moet nog poepen. Dat heb je zelf gezegd: piesen, poepen en naar bed. Ik heb nog niet gepiest en gepoept.'

'Ga dan maar gauw,' zegt oma.

Koorts

Robin loopt door de grote stad. Hij is helemaal alleen. Opa en oma zijn niet bij hem, mama en papa ook niet. Er zijn ook geen andere mensen op straat. Maar Robin is niet bang. Hij wandelt gewoon door de straten. Voor een winkel blijft hij staan.

Is dit wel een winkel? Het lijkt wel het oude huis van Robin, het huis waarin hij vroeger woonde. Maar dat kan niet! Dat staat niet in de grote stad! Robin gluurt door het raam naar binnen. Ik moet iets liefs kopen, denkt hij, maar wat?

Hij ziet alleen vijf grote houten poppen. Ze zijn zo groot als mannen. Ze hebben hoeden op. Robin doet de deur open en loopt naar binnen. Het is heel licht in de winkel. Er zijn geen muren en er is ook geen dak. Toch is Robin binnen. De vijf poppen maken een deftige buiging. Ze nemen hun hoed af.

'Kunnen wij je helpen?' vragen ze.

Ze vragen het alle vijf tegelijk.

'Ik zoek iets liefs,' zegt Robin.

De eerste houten pop laat hem een klok zien, de tweede een potlood, de derde een koektrommel, de vierde een hoefijzer, de vijfde een vlinder die met een speld op een kussentje is geprikt.

'Maar dat is toch niet lief!' schreeuwt Robin. 'Dat is niet lief!'

'Wat is niet lief?' vraagt oma.

Haar gezicht is heel dichtbij. Ze veegt met een nat washandje over Robins voorhoofd. Robin heeft het ijskoud. O nee, hij is juist heel heet. Nee, hij bibbert. Zo koud heeft hij het. Hij zweet. Hij is ook misselijk.

'Je hebt koorts,' zegt oma. 'Ga maar gauw weer slapen, dan merk je niet dat je ziek bent.'

Robin wil wel weer gaan slapen maar hij wil niet meer dromen. Hij doet zijn ogen dicht. En dan... voelt hij het. Hij voelt het in zijn buik en in zijn keel.

'Oma!' zegt hij. 'Ik moet...'

En hij spuugt.

Oma houdt een emmer onder zijn mond.

'Daar was ik al bang voor,' zegt ze, 'dat je moest spugen. Maar zo gaat het keurig.'

Robin spuugt nog eens en nog eens, hij spuugt de halve emmer vol. Oma veegt zijn mond af en Robin valt in slaap. Hij wil niet meer dromen, maar hij droomt toch. De droom gaat gewoon verder.

Hij is weer in zijn oude huis, dat nu een winkel is. Een winkel in de grote stad. De vijf houten poppen duwen Robin een trap op. Er zijn geen muren en er is geen dak maar er is wel een trap. Boven aan de trap staat een mevrouw in een rode jurk. Zij is ook van hout, ziet Robin. Alleen haar ogen zijn echt. De ogen kijken hem lief aan. Hij ziet opeens wie de mevrouw is: ze is Eefje, maar dan heel groot. Ze wijst naar een envelop die op een tafel ligt.

'Daar zit de foto in,' zegt ze.

Robin pakt de envelop en haalt er een foto uit.

'We staan er alle twee op,' zegt de grote houten Eefje.

Robin kijkt naar de foto. Hij ziet een dode boom.

Het is de klimboom die in de tuin achter het oude huis staat. Naast de boom staat Eefje. Ze is geen houten mevrouw, maar een lief meisje, precies zoals Robin haar kent. Verder staat er niemand op de foto.

'Ik sta niet op de foto,' zegt Robin.

'Jawel,' zegt Eefje, 'jij staat er ook op. Maar niet altijd.'

Dat snapt Robin niet. Hij kijkt nog eens naar de foto. Dan ziet hij het. Er komt een hoofd achter de boom vandaan. Een lachend hoofd. Het is het hoofd van Robin! Hij kan het maar heel even zien, dan is het weer weg. Alsof Robin alleen even kiekeboe kwam zeggen. Hij staat wel op de foto maar hij staat achter de boom.

'Deze foto wil ik niet,' zegt Robin. 'Ik wil iets liefs kopen.'

'Wacht maar,' zegt de grote houten Eefje.

Ze pakt een doosje lucifers en strijkt een lucifer af. Ze houdt het vlammetje onder de foto. De boom verbrandt en daar staat Robin. Helemaal bloot.

'Ik wil naar huis!' schreeuwt Robin.

'Ik weet niet of dat nu wel kan, lieve jongen,' zegt opa.

Opa zit op de rand van Robins bed. Hij heeft zijn brugwachterskleren aan. Het is al licht in de kamer. De nieuwe dag is begonnen. Robin is ziek. Echt ziek. Hij heeft het gloeiend heet en ligt te klappertanden van de kou. Hij voelt zich nog misselijk maar hij kan niet meer spugen. Zijn spuug is op. Zijn mond is droog. Zijn keel doet pijn.

De dokter komt en zegt: 'Je kunt beter hier blijven, Robin, bij je oma en opa. Tot de koorts weg is. Dat kan wel een paar dagen duren.'

Kuuks

Drie dagen lang is Robin ziek bij oma en opa. Daarna voelt hij zich een piepklein beetje beter. Oom Klaas komt naar de grote stad en rijdt Robin terug naar huis. Robin en Knor liggen in een bedje op de achterbank. Ze liggen op hun rug en kunnen alleen de toppen van de bomen zien en de punten van de daken van de huizen. En de schoorstenen. Het is alsof ze in een kinderwagen door een park rijden. De reis duurt lang, maar eindelijk zijn ze dan toch thuis.

Oom Klaas rolt Robin en Knor in een deken en draagt ze van de auto naar het huis. Over het tuinpad. Mama staat op de stoep.

'Hier is je zieke zoon,' zegt oom Klaas.

'Dank je, Klaas,' zegt mama. 'Hartstikke bedankt.'

Oom Klaas knijpt Robin zacht in zijn wang.

'Gauw beter worden, baas,' zegt hij. 'Bel je ons af en toe op, om te vertellen hoe het met je gaat? Dat willen we graag horen.'

Robin knikt.

Mama draagt Robin naar binnen. Ze zoent hem aan alle kanten.

'Hoe kon je zo ziek worden?' vraagt ze.

'Door papa,' zegt Robin.

'Kom,' zegt mama, 'we gaan naar papa toe.'

Ze loopt de woonkamer in.

'Is papa niet boven?' vraagt Robin.

'Verrassing,' zegt mama.

Ze loopt door de woonkamer naar de achterkamer. Daar staat een groot bed. Bij het raam. In het bed zit papa. Rechtop. Hij ziet er vrolijk uit. Hij legt een boek weg en hij strekt zijn armen uit.

'Daar ben je dan!' zegt papa. 'Hè hè. Ik heb zo lang op je gewacht. In je eentje ziek zijn is helemaal niet leuk. Kom!'

Mama zet Robin op het grote bed en Robin laat zich in papa's armen vallen.

'Gaat het weer een beetje?' vraagt papa.

Robin knikt.

'Aan welke kant wil jij liggen?' vraagt papa. 'Bij het raam?'

Robin knikt weer.

Papa legt Robin op het plekje bij het raam.

Robin kijkt naar buiten. De zon schijnt, er drijven witte wolkjes door de blauwe lucht en de mensen die langsfietsen fluiten. Ze hebben dunne kleren aan. Ze zijn niet ziek. Robin kijkt naar de bomen in de boomgaard. Er hangen appeltjes en peertjes aan de takken. Die gaan ze plukken als ze rijp zijn.

'Daar liggen we dan,' zegt papa. 'Hoe lang moet jij in bed blijven van de dokter?'

Dat weet Robin niet.

'Ik nog twee weken,' zegt papa. 'Ik ben blij dat jij ook ziek bent.'

Nou ja!

'Ik ben niet blij dat ik ziek ben,' zegt Robin.

'Kuuks,' zegt papa. 'Vind je het niet gezellig, samen in bed?'

'Wel,' zegt Robin, 'maar ik ga liever buiten voetballen en dan naar het zwembad en dan naar het strand en dan af en toe gezellig bij jouw bed zitten.'

'Kuuks,' zegt papa. 'We gaan ontzettend veel plezier maken samen. We gaan lezen en tekenen en puzzelen en verhalen vertellen en spelletjes doen…'

'Dat kan ik beter als ik niet ziek ben,' zegt Robin.

'Kuuks,' zegt papa. 'Ik voel me helemaal niet meer ziek.'

'Ik nog een beetje,' zegt Robin.

Mama komt de kamer in. Ze heeft Suze op haar arm.

'Wij gaan naar de stad,' zegt ze. 'Boodschappen doen. Kan ik voor jullie nog iets meenemen? Een mooi boek of zo?'

'Yes!' zegt papa. '*Oui. Sehr gern*. Hoera.'

Robin knikt. Een mooi nieuw boek, dat wil hij wel.

Mama en Suze lopen naar buiten. Robin weet precies wat ze daar doen: mama zet Suze in het stoeltje aan het stuur van haar fiets, ze loopt met de fiets aan haar hand naar de weg, daar stapt ze op, ze geeft Suze een zoen op haar bolletje, ze rijdt weg, en dan begint ze te fluiten. Zo ging het ook toen Robin nog klein was.

'We krijgen alle twee een nieuw boek,' zegt papa. 'Wat een feest. Ziek zijn is gezond voor ons bibliotheekje.'

Robin weet wat een bibliotheek is. In een bibliotheek staan heel veel boeken. Hij wist alleen niet dat hij zelf ook een bibliotheek heeft. Maar natuurlijk! Die heeft hij! Hij heeft een plank vol boeken in zijn slaapkamer. Dat is zijn bibliotheek! En vandaag komt er een nieuw boek in zijn bibliotheek.

'Papa,' zegt hij.

'Wat is er, man?'

'Papa, wat is kuuks?'

'Ik dacht dat je het nooit zou vragen,' zegt papa. 'Kuuks. Ik had het woord nog nooit gehoord. Ik heb het geleerd van witte Frans. Hij kwam gisteren op visite met een bos rabarber. Dat is gezond, zei hij. Rabarber is gezond. Als je rabarber eet, word je snel beter. Hij kwam binnen en hij zag mij hier liggen en zei: "Nou meester, lig je beneden in bed? Wat kuuks!" Dat zei hij. Kuuks betekent mal en gek en grappig. Witte Frans vindt het kuuks dat mama hier in de kamer een bed voor ons heeft gemaakt. Ik vind kuuks een fijn woord,' zegt papa. 'Ik zeg het de hele dag.'

'Kuuks,' zegt Robin.

'Ik vind het kuuks dat wij hier samen liggen,' zegt papa. 'En ik vind het kuuks dat jij denkt dat de druppels water in de gootsteen de ogen van de bullebak zijn. En ik vind het kuuks als Suze een drolletje in bad poept en...'

'Weet je wát kuuks is?' zegt Robin.

'Nou?' vraagt papa.

'Kuuks,' zegt Robin.

'Wat is kuuks?' vraagt papa.

'Kuuks,' zegt Robin.

'Hallo, ik vraag wát kuuks is.'

'Kuuks,' zegt Robin.

'Robin, hou op! Wat vind jij kuuks?'

'Kuuks,' zegt Robin. 'Ik vind kuuks kuuks.'

'Help!' zegt papa.

'Het woordje kuuks,' zegt Robin. 'Dát vind ik kuuks.'

Dan snapt papa het eindelijk. Hij moet zo hard lachen dat hij de hik krijgt.

Hik.

'Mag ik naar oom Klaas en tante Betty bellen?' vraagt Robin.

Hij voelt zich niet ziek meer. Hij voelt zich beter. Dat gaat hij zeggen tegen oom Klaas en tante Betty. Dat willen ze graag horen.

Papa pakt de telefoon. Robin kijkt goed naar wat papa doet. Hij wil weten hoe het moet, opbellen. Als hij het dan net zo doet als papa, kan hij het zelf ook. Robin is opeens zo vrolijk, hij wil alles leren.

Hik, zegt papa in de telefoon. 'Hallo Betty... hik... hier komt Robin. Hik.'

Kuuks.

Snavelbalslang

Het is feest.

Het feest duurt niet één middag of één avond, nee, het feest duurt weken. Robin en papa wonen in het grote bed bij het raam in de achterkamer. De dokter zegt dat ze nog ziek zijn maar ze voelen er niks van. Ze voelen zich kiplekker en fris als een hoentje.

Ze bouwen kastelen in bed, ze rijden met autootjes door het bed, ze krijgen nieuwe boeken in bed, ze spelen poppenkast in bed, ze kijken uit het raam in bed, ze lezen in bed, ze bellen op in bed, ze vertellen elkaar verhalen in bed, en moppen, ze ontvangen bezoek in bed, ze tekenen in bed, ze luisteren naar de radio in bed, ze poetsen hun tanden in bed, ze gaan onder de douche in bed…

O nee, dat niet.

Heel soms gaan ze even hun bed uit, om te piesen en te poepen, en dan duiken ze er snel weer in. Heel af en toe moeten ze douchen. Anders gaan ze stinken. Maar als ze schoon zijn rennen ze weer gauw terug naar bed. In schone pyjama's.

'Dit is een fijne vakantie,' zegt papa.

En dan maken ze een tent van het bed en spelen dat ze kamperen in China. Of ze maken een boot van het

bed en spelen dat ze over de Noordelijke IJszee varen. Of ze maken een raceauto van het bed.

'Papa,' vraagt Robin op een dag, 'wanneer begint de school weer?'

'Over vijf dagen,' zegt papa.

'Ga ik dan ook weer naar school?'

'Nee, dat mag nog niet van de dokter.'

'En jij?'

'Ook niet.'

'Vind je dat jammer?'

'Een beetje,' zegt papa. 'Ik vind het leuk om kinderen dingen te leren.'

'Dan mag je mij leren lezen,' zegt Robin.

'Nou,' zegt papa, 'daar ben ik niet zo voor.'

'Maar je bent schoolmeester! Daar ben je juist wel voor!'

'Alles op z'n tijd,' zegt papa.

'Maar we hebben juist heel veel tijd!'

'Dat is waar,' zegt papa. 'Goed. Eén woordje dan.'

Papa pakt een vel papier en een potlood en hij schrijft iets op. Drie letters.

'Wat staat hier?' vraagt hij.

Robin kijkt naar de letters. De eerste lijkt een beetje op de snavel van een vogel. De tweede lijkt op een honkbalknuppel met een balletje erboven, de derde lijkt precies op een slang. Snavel, bal, slang. Snavelbalslang? Zou dat er staan? Snavelbalslang?

'Hier staat vis,' zegt papa. 'Dit is de v, dit is de i, en dit is de s.'

'Het lijkt niet erg op een vis,' zegt Robin.

'Nee,' zegt papa, 'woorden op papier lijken niet op de dingen die ze zijn. Kijk, nu schrijf ik boom. Dit is de b, deze twee rondjes zijn samen de oo, en dit is de m. Lijkt ook niet op een boom.'

'Het is meer een omgevallen boom,' zegt Robin. 'En ik denk dat de vis heel gauw doodgaat op dat droge papier. Schrijf er maar wat water bij.'

'Goed idee,' zegt papa.

Hij schrijft het hele vel papier vol woorden. Ze zijn allemaal hetzelfde. Water, schrijft papa. Water, water, water, water... Hij schrijft honderd keer water. Een sloot vol, nee, een zee, een oceaan. Nu kan de vis zwemmen. En de boom drijft op het water.

'Als je goed kunt lezen,' zegt papa. 'Dan kijk je naar de letters, maar je ziet ze niet meer. Dat is heel gek. Dan zie je meteen welk woord er op het papier staat.'

Dat snapt Robin niet.

'Als je leert lezen,' zegt papa. 'Ga je naar de letters kijken. Daar staat een v, denk je, en daar staat een i, en daar staat een s. O ja! Daar staat vis! Zo gaat het als je leert lezen. Maar als je al heel veel hebt gelezen, zie je meteen: daar staat vis. Dan zie je de letters niet meer, dan zie je een vis. In je hoofd.'

'In je fantasie,' zegt Robin.

vis water water
water
water water water water
water water water water
water water water water water
water water water water water
water water water water water
water water boom water water
water water
water water water water water
water water water water
water water
water water water
water water
water water water water
water water water water
water water water
water water
water water water
water
water water water
water
water water water water water
water

‘Heel goed,’ zegt papa. ‘In je fantasie. Je ziet niet het woord vis, maar een echte vis. Een vis in een sloot, of in een winkel, of een vis op je bord.’

‘Ik lust geen vis,’ zegt Robin.

'Het mooie van lezen is,' zegt papa, 'je kunt alles lezen wat er in de wereld bestaat. Als je het woord berg leest, zie je een berg. In je fantasie. Als je hoge berg leest, zie je een hoge berg. Als je hoge berg met sneeuw op de top leest, zie je een hoge berg met sneeuw op de top. Ook al heb je in het echt nog nooit zo'n berg gezien. En dan kun je op die berg klimmen. In je fantasie. Tot je heel hoog bent. In de sneeuw.'

'Word je moe van lezen?' vraagt Robin.

'Helemaal niet.'

'Ik wel,' zegt Robin.

'Dat bedoel ik,' zegt papa. 'Daarom wachten we nog een jaartje met de andere woorden. En dan mag juf Lievaert ze aan je leren.'

'Dat is goed,' zegt Robin.

Hij pakt het vel papier en het potlood. Hij tekent de letters van het woord vis. Het gaat behoorlijk goed: eerst een snavel, dan een knuppel met een bal, dan een slang. Nu kan hij vis lezen en vis schrijven.

Hij moet alleen nog leren om vis te eten.

Opbellen

De telefoon staat op de vensterbank. Je kunt hem pakken als je in bed zit. Robin belt iedere dag naar tante Betty. En iedere dag zegt tante Betty dat Robin maar gauw beter moet worden.

'Je moet veel water drinken,' zegt ze dan. 'Je moet overal in de kamer een glas water neerzetten en als je er langsloopt, moet je het leegdrinken en meteen weer vol water doen.'

Dat zegt tante Betty iedere dag, het is erg gezellig.

Maar nu gaat Robin haar vertellen dat hij vis kan lezen en schrijven. En dat hij al helemaal zelf kan opbellen. Zal ze knap vinden. Robin weet precies hoe het moet. Hij heeft het papa vaak zien doen. Hij pakt de telefoon en belt op.

Túúúút, klinkt het in de telefoon.

Dat gaat goed.

Nu komt er nog een keer tuut.

Túúúút.

Nu komt er nog één keer tuut en dan neemt tante Betty op.

Túúúút.

Túúúút.

Hé, dat is gek.

Túúúúút.

Tante Betty is niet thuis, denkt Robin.

Túúúúút.

Of ze zit in bad.

Túúúúút.

Robin wil de telefoon weer terugleggen.

Maar dan hoort hij een stem. Een zware mannenstem.

'Hallo?'

Dat is tante Betty niet. Tante Betty heeft geen zware mannenstem. Het is natuurlijk oom Klaas. Oom Klaas is altijd aan het werk, aan het maaien, aan het hooien, aan het ploegen, altijd buiten, maar nu even niet. Nu zit hij bij de telefoon.

'Hallo?' zegt de stem nog een keer.

'Hallo oom Klaas,' zegt Robin. 'Ik kan al zelf opbellen.'

'Ik ben je oom Klaas niet,' zegt de stem. 'Met wie spreek ik?'

'M-met Robin,' zegt Robin. 'En m-m-m-met w-wie spreek ik?'

'Met de koning,' zegt de man.

'Met wie?' vraagt Robin.

Maar hij wacht niet tot de man het nog een keer zegt. Hij laat de telefoon vallen van schrik. De koning! Hij heeft de koning opgebeld! Hoe kan dat? Hij springt van het bed en rent de kamer uit, door de keuken en de bijkeuken de tuin in.

'Mama! Mama!'

Mama zit in een luie stoel onder de boom. Ze dopt boontjes. Suze speelt in de box die naast mama staat.

'Mama!'

Robin is zo geschrokken, hij kan niet stilstaan. Hij springt van zijn ene been op het andere, alsof het gras onder zijn voeten in brand staat.

'De telefoon!' zegt Robin. 'Er is iemand aan de telefoon!'

'Sta je daarom zo mal te springen?' vraagt mama.

Robin schudt van ja en knikt van nee.

Mama staat op en loopt naar binnen. Robin loopt achter haar aan. Maar hij durft de achterkamer niet in. Want daar ligt de telefoon. Hij blijft op de drempel staan. Mama pakt de telefoon van het bed en noemt haar naam. Ze luistert even en dan zegt ze: 'Het spijt me, meneer. Mijn zoontje heeft met het toestel zitten spelen en... O, dat is aardig van u. Goed, ik zal het hem zeggen. Dag meneer De Koning.'

Mama legt de telefoon op de vensterbank.

'Waarom heb je die man opgebeld?' vraagt ze.

'Het was de koning,' fluistert Robin.

Het is goed afgelopen, dat snapt hij nu wel. De koning is niet boos op hem. Maar toch, als Robin zijn ogen dichtdoet, ziet hij een gouden kroon op een

hoofd met lange grijze krullen. En onder die grijze krullen ziet hij twee vlammende grijze ogen.

'Ach jochie toch,' zegt mama.

Ze loopt naar Robin toe en tilt hem op.

'Dacht je echt dat het de koning was?'

Robin knikt en mama lacht.

'Het was gewoon een aardige meneer,' zegt ze. 'Je krijgt de groeten van hem. Hij was niet boos dat je belde. En die man, die meneer, die heet toevallig De Koning. De Koning, dat is zijn achternaam. Dat kan heel goed, er zijn heel veel mensen die De Koning heten.'

Ze gooit Robin op het bed. Robin komt boven op Knor terecht. Knor kan er wel om lachen.

Mama pakt het telefoonboek en begint te bladeren.

'Hebbes,' zegt ze.

Ze duwt het telefoonboek onder Robins neus.

'In dit boek staan de namen van alle mensen die een telefoon hebben,' zegt ze. 'Hier staan hun telefoonnummers en hier staan hun namen. En in deze lange rij namen staan alleen maar mensen die De Koning heten. Het zijn er...'

Mama telt.

'Het zijn er zeventien. Hier staan bijvoorbeeld Sjuul de Koning en Arthur de Koning en Kaskoeskilewan de Koning en Sissy de Koning en Willem de Koning en Alexander de Koning en...'

‘Staat tante Betty ook in het boek?’ vraagt Robin.

‘Tante Betty heet Abbekerk,’ zegt mama.

‘Weet ik,’ zegt Robin. ‘Wil jij tante Betty voor mij bellen?’

Mama doet het en ze geeft de telefoon aan Robin.

Túúúúút, hoort hij.

Túúúúút.

‘Met Abbekerk.’

Dat is de stem van tante Betty.

‘Dag tante Betty, met Robin.’

Ik ga haar alles vertellen, denkt Robin. Alles... Maar wat ook alweer? Het waren drie dingen, drie belangrijke dingen.

‘Ben je al beter?’ vraagt tante Betty. ‘Veel water drinken, hoor.’

O ja, nu weet Robin het weer.

‘Ik kan al vis lezen,’ zegt hij.

‘Maar Robin, wat knap!’

‘En ik kan ook al vis schrijven.’

‘Nog knapper,’ zegt tante Betty.

‘En ik kan ook al helemaal zelf opbellen.’

O nee, denkt Robin, dat is niet waar.

Maar tante Betty vindt het toch knap.

Held

Wat is dat?

Robin wordt wakker van een hard gekraak. Droomt hij van een boom die zijn wortels uit de grond trekt en ochtendgymnastiek doet? Buig, strek, buig, strek, met een krakende houten rug? Robin doet zijn ogen open. Hij ligt naast papa in het grote bed in de achterkamer. Het is donker in de wereld. In de kamer brandt alleen een nachtlampje. Regen klettert tegen het raam.

Het raam is een zwart gat. Er hangt geen gordijn voor. Robin ziet druppels langs het glas glijden, als riviertjes. Maar opeens... gaat buiten het licht aan. Fel wit licht. Robin ziet de appelbomen en de perenbomen in de boomgaard. Hij kan zelfs de dunste takjes zien, zo fel is het licht. En dan... kra-kra-kra-krááák... trekt de donder door de hemel. De hele wereld trilt ervan.

Onweer!

Dat is het!

'Papa, papa, wakker worden!'

Papa wordt niet wakker.

'Hé papa, mag het grote licht aan?'

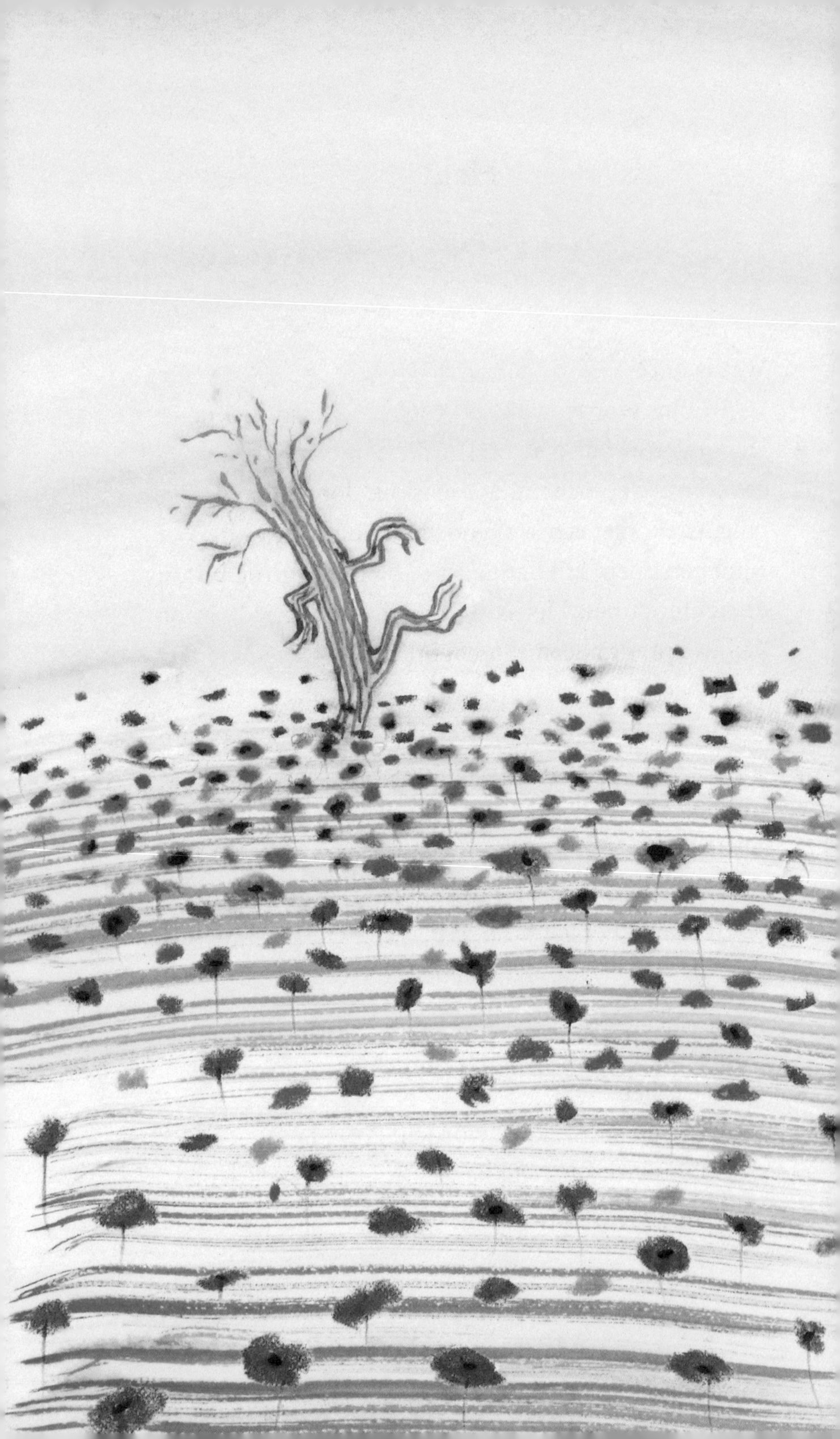

Papa slaapt lekker door. Knor ook.

'Papa, zullen we een spelletje doen?'

Robin knijpt in papa's neus. Dat helpt. Papa hoest en doet zijn ogen open.

'Papa, het onweert!'

Dat had Robin niet hoeven zeggen. Een enorme bliksemflits schiet door de hemel en de donder komt er krakend achteraan. Papa zit meteen rechtop in bed.

'Wauw,' zegt hij.

'Zullen we het grote licht aandoen en aan de tafel gaan zitten en een spelletje doen?' vraagt Robin. 'Dan is het niet zo eng.'

'Nee,' zegt papa. 'Ik duik diep onder de dekens en ik steek mijn vingers in mijn oren en ik knijp mijn ogen stijf dicht. Dan hoor ik niks en zie ik niks. Moet je ook doen.'

Knor vindt dat papa goed heeft gesproken. Hij duikt diep onder de dekens.

Maar dat wil Robin niet!

Robin wil dat het grote licht aangaat en dat ze naar muziek gaan luisteren en dat ze een spelletje gaan doen. Dan hoeven ze niet aan het onweer te denken. Hij pakt Knor bij zijn staart en trekt hem onder de deken vandaan.

'Kom,' zegt hij. 'We gaan naar mama.'

Robin en Knor stappen uit bed en lopen naar de gang. Robin knipt het licht aan. Daar is de trap.

Mama slaapt boven, in haar slaapkamer. Ze hoeven alleen maar even de trap op, dan zijn ze er. Alleen maar even de trap op. Helemaal niet moeilijk. Gewoon twaalf treden recht omhoog, dan gewoon de bocht om, en dan nog drie treden, heel gewoon. Maar daar... ja, daar zit de wolf.

'Kom,' zegt Robin tegen Knor. 'We gaan weer naar papa.'

Buiten klinkt een enorme donderslag. Alsof het dak van het huis in tweeën breekt. Robin schrikt zo dat hij de trap op rent. Hij al bijna bij de bocht. Daar staat hij stil. Hij denkt na. Hij denkt tot hij weet wat hij moet doen.

'Luister, Knor,' zegt Robin. 'Het is wel een beetje zielig voor jou, maar het moet. Er zit niets anders op. Ik loop nog twee treden de trap op en dan ben ik bij de bocht. Dan gooi ik jou omhoog. Ik gooi jou op de overloop. Daar plof je neer en dan springt de wolf boven op je. En dan kan ik achter zijn rug naar de kamer van mama rennen. En dan haal ik mama en die komt jou bevrijden. Is dat goed?'

Knor vindt het goed.

De wolf mag wel boven op hem springen, als hij hem maar niet wakker maakt.

'De wolf gaat jou niet opeten,' zegt Robin, 'want hij lust jou niet. Jij bent niet van vlees en bloed. Wees maar niet bang.'

Knor is niet bang.

Robin is nog wel een beetje bang. Maar hij is ook dapper. Heel zacht zet hij zijn voet op de volgende tree. Nog zachter zet hij zijn andere voet op de tree erboven. Hij is bij de bocht.

'Sorry Knor,' fluistert hij.

Hij geeft Knor een kus op zijn kop en gooit hem omhoog. Knor ploft neer op de overloop. Robin houdt zijn adem in.

Er gebeurt niets.

Knor ligt te slapen op de overloop, op zijn rug, en de wolf laat zich niet zien. Hoe kan dat nou? Heel voorzichtig gaat Robin de bocht om. Treetje hoger, treetje hoger. Misschien heeft de wolf hem door. Misschien denkt de wolf: hé, daar vliegt een varken. Dat kan niet. Varkens kunnen niet vliegen. Dat varken is gegooid. Door iemand. Door die Robin die hier woont. Die Robin is van vlees en bloed. Die is veel lekkerder dan dat varken. Die Robin grijp ik. Misschien denkt de wolf dat.

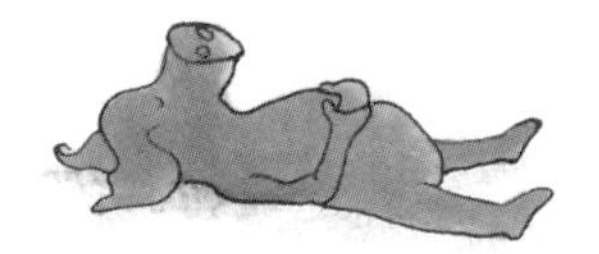

Robin doet het dapperste dat hij ooit gedaan heeft. Hij doet nóg een stapje omhoog en... hij is boven.

Er is geen wolf.

Robin doet het licht op de overloop aan en raapt Knor op. Hij geeft Knor twee dikke zoenen. Op ieder varkenswangetje een.

'Knor,' zegt hij, 'je bent een held.'

Monster

In de slaapkamer van mama en papa is het aardedonker. Maar naast de deur zit het lichtknopje. Robin weet dat. Hij knipt het licht aan. Hij ziet het grote bed. Hij ziet het warrige haar van mama op het kussen. Het haar begint te bewegen.

'Mama, het onweert,' zegt Robin. 'Kom je uit bed?'

'Hoe laat is het?' vraagt mama. 'Waarom moet ik uit bed komen als het onweert?'

'Dat vind ik zo gezellig,' zegt Robin.

'Ik draai me om en slaap verder,' zegt mama. 'Het is nog donker.'

'Maar ik wil dat je eruit komt. Dat vind ik zo gezellig!'

'Welterusten,' zegt mama.

'Ik kom je wel even uit bed halen,' zegt Robin.

Hij rent naar het bed en springt. Hij vliegt een stukje. Hij landt boven op mama.

'Oempf!'

'Kom maar gauw uit bed, mama,' zegt Robin, 'dan gaan we gezellig een spelletje doen.'

'Gezellig?' zegt mama. 'Een spelletje?'

Mama duikt onder het dekbed en gaat op haar knieën zitten. Robin rolt van haar af. Hij rolt bijna uit bed. Vanonder het dekbed komt een zware stem. Zwaar als de stem van een molenaar.

'Gezellig?' zegt de stem. 'Een spelletje? Ik ben je mama niet. Ik ben een monster. Ik lijk erg op een berg, maar ik ben een monster.'

Het gaat goed, denkt Robin. Mama is niet boos dat ik haar wakker heb gemaakt. Mama wil met me spelen. Mama is een monster. Lief is dat.

Opeens komt er een hand onder het dekbed vandaan en die hand grijpt Robin bij zijn been.

'Het monster heeft vreselijke klauwen,' zegt het monster. 'Vreselijke klauwen met hoornige nagels. En daar grijpt hij je mee. En dan laat hij je... spartelen!'

Het monster tilt Robin op aan zijn been. Robin hangt in de lucht. Met zijn hoofd naar beneden. Hij zwaait met zijn armen.

'Niet doen, mama! Laat me los!'

'Monsters weten niet wat mama's zijn,' zegt het monster. 'Monsters hebben geen mama.'

'Laat me los!'

'Goed dan.'

Het monster laat Robin los. Robin ploft neer op het bed.

'Zo,' zegt het monster, 'nu ga ik nog even slapen.'

Robin neemt Knor onder zijn arm en rent naar

zijn kamertje. Hij knipt het licht aan en doet zijn speelgoedkast open. Daar liggen zijn ridderhelm en zijn zwaard. Hij pakt ze. Hij zet de helm op het hoofd van Knor.

'Jij was ridder Bommerkruit,' zegt hij tegen Knor. 'Weet je nog? En ik was ridder Validon. Wij vochten tegen alle monsters. En dan wonnen wij.'

De ridders rennen terug naar het monster.

Het monster lijkt nog steeds op een berg.

'Hasa!' schreeuwt ridder Validon. 'Ten aanval!'

Hij springt boven op het monster en begint met zijn zwaard te slaan. Op de kop van het monster, op de rug van het monster, op de billen van het monster.

'Help me, ridder Bommerkruit!' roept hij.

Maar ridder Bommerkruit is in slaap gevallen. Zijn helm staat scheef op zijn hoofd. Hij droomt van een prinses met een krulstaart.

'Dan doe ik het wel alleen!' schreeuwt ridder Validon. 'Hasa!'

Hij slaat weer met zijn zwaard op de billen van het monster.

Het monster wordt groter en groter en groter, en dan zegt het monster met zijn zware stem: 'Monsters houden niet van ridders. Als monsters een ridder zien, gaan ze op het hoofd van de ridder zitten. Vrij lang.'

En dat doet het monster. Het wordt nog iets groter en ploft neer op de arme Validon. Het zit met zijn dikke kont boven op het hoofd van de ridder. Vrij lang. Ridder Validon kan bijna geen adem meer halen.

'Monsters vinden het fijn om op het hoofd van een ridder te zitten,' zegt het monster. 'Daar worden monsters blij van.'

Gelukkig tilt het monster zijn kont op. Ridder Validon springt uit het bed en rent de slaapkamer van mama en papa uit.

'Zo,' zegt het monster, 'nu ga ik nog even slapen.'

Robin rent naar zijn kamertje. Hij smijt zijn zwaard in een hoek en trekt de deken van zijn bed. Hij gooit de deken over zijn hoofd.

'Zo,' zegt hij met een zware stem. 'Nu ben ik ook een monster.'

Hij loopt naar de kamer van mama en papa en gaat op de drempel staan.

'Hallo,' zegt hij. 'Nu ben ik ook een monster.'

Het grote monster in het bed van mama en papa gaat rechtop zitten.

'Weet jij wat een mama is?' vraagt het grote monster.

'Nee,' zegt het kleine monster, 'ik weet niet wat een mama is. Monsters hebben geen mama.'

'Goed geantwoord,' zegt het grote monster. 'Hou jij van ridders?'

‘Als ik een ridder zie,’ zegt het kleine monster, ‘ga ik vrij lang op zijn hoofd zitten.’

‘Goed geantwoord,’ zegt het grote monster. ‘Heb jij klauwen?’

‘Vreselijke klauwen,’ zegt het kleine monster. ‘Met hoornige nagels.’

‘Goed geantwoord,’ zegt het grote monster. ‘Jij bent een monstertje naar mijn hart. Kom jij maar binnen.’

Het grote monster tilt het dekbed op.

Het kleine monster kruipt onder het dekbed.

En daar zitten ze dan. Robin en mama. Midden in de nacht. Onder een dekbed. In het grote bed van mama en papa. Knor mag er ook bij. De ridderhelm is voor zijn ogen gezakt, maar dat geeft niks. Knor kijkt toch nooit zijn ogen uit, hij kijkt altijd zijn ogen in. Hij droomt altijd. Nu droomt hij van een mokkataart.

'Hoe laat is het?' vraagt mama.

Ze praat weer met haar eigen stem. Ze pakt de wekker van het nachtkastje.

'Kwart over vier,' zegt ze. 'We lijken wel gek. Kwart over vier in de nacht! En dan zitten wij hier toneelstukjes te doen.'

'Je bent een goed monster,' zegt Robin.

'Jij ook,' zegt mama.

En opeens praat mama weer met een zware stem. 'Nu gaat het monster nog even slapen,' zegt ze.

En ja hoor, ze valt meteen in slaap.

Hallo! denkt Robin. Niet gaan slapen! Het onweert!

Maar dat is niet waar. Het onweert niet meer. Hij heeft al lang geen bliksemflits meer gezien en geen krakende donderslag gehoord. Het regent nog wel. Druppels kletteren neer op het dak.

Gezellig.

Gezel...

Ge...

Als Robin wakker wordt is het licht buiten. Hij ligt naast mama in het grote bed. Hij ziet alleen mama's haar. Robin pakt Knor en klimt uit bed. Hij gaat bij het voeteneinde staan.

'Hé monster!' zegt hij. 'Hé monster!'

'Huh?' zegt mama. 'Hoe laat is het?'

Ze gaat rechtop in bed zitten.

‘Hé monster,’ zegt Robin. ‘Ik zei dat ik ook een monster was, maar dat is niet waar. Ik ben het, je zoon Robin.’

‘Heb jij gejokt?’ vraagt mama. ‘Gejokt tegen je moeder? Dan moet ik vrij lang op je hoofd gaan zitten. Let op, ik kom eraan.’

Mama gooit het dekbed van zich af en kruipt over het bed naar Robin toe. Op haar handen en knieën. Ze probeert Robin te pakken maar Robin doet gauw een stapje naar achteren. Mama grijpt mis. Haar handen klauwen door de lucht en ze kukelt uit bed. Ze ploft neer op de vloer.

‘Wat gezellig, mama,’ zegt Robin, ‘dat je eindelijk uit bed bent gekomen. Zullen we een spelletje gaan doen?’

Proppen

Het duurt nu wel heel erg lang, dat ziek zijn.

Morgen is de grote vakantie voorbij en gaan de kinderen en de juffen en de meesters weer naar school en dan liggen Robin en papa nog steeds in bed. Ze hebben alles al gedaan wat je in bed kunt doen: slapen, dutten, dommelen, doezelen, pluimedijken, sluimeren, een tukje doen, een uiltje knappen, pitten, knorren, maffen, dromen, dagdromen, op je linkerkant liggen, op je rechterkant liggen, op je rug liggen, op je buik liggen, met je hoofd aan het voeteneind liggen, woelen, gapen, geeuwen. Ze beginnen zich behoorlijk te vervelen in dat bed.

Ze hebben alle puzzels al gemaakt en alle boeken al gelezen. Ze hebben al honderd keer een kussengevecht gehouden. Ze hebben al duizend glazen water gedronken. Ze hebben poppenkast gespeeld. Ze hebben aardappels geschild, en appels, ze hebben boontjes gedopt. Ze hebben visite ontvangen aan hun bed, ze hebben naar tante Betty gebeld, en naar opa en oma, ze hebben iedere dag met Suze gespeeld. Suze is niet ziek geworden. Mama ook niet. Mama en Suze mochten naar buiten, wandelen in het zonnetje, zo vaak als ze maar wilden. Robin en papa willen wel weer eens voetballen.

'Papa,' vraagt Robin, 'wil je me een verhaaltje vertellen?'

'Ik heb alle verhaaltjes al verteld,' zegt papa.

Dat is waar. Papa heeft ontzettend veel verhaaltjes verteld. Robin mocht altijd zeggen waar de verhaaltjes over moesten gaan en papa heeft verteld over een dakpan, een grassprietje, een zakdoek, een deksel, een geknapte uil, een rolletje plakband, een emmer, een krant, de onderwaterkabouter...

'Ik weet nog maar één verhaaltje,' zegt papa. 'Maar dat is een verhaaltje van niks, dat is een waardeloos verhaaltje.'

'Doe maar een waardeloos verhaaltje,' zegt Robin.

'Goed,' zegt papa. 'Het verhaaltje gaat zo: Er was eens een verhaaltje en dat was eigenlijk een hond. Uit.'

'Is dat alles?' vraagt Robin. 'Is het nu al afgelopen?'

'Ja.'

'Dat is echt een waardeloos verhaaltje,' zegt Robin. 'Zal ik jou eens een verhaaltje vertellen?'

'Graag,' zegt papa.

'Nou,' zegt Robin, 'er was eens een jongen en die ging verhuizen en die kwam in een nieuw huis wonen. En die jongen durfde de trap niet op want boven aan de trap zat een wolf met scherpe tanden. Uit.'

'Ik vind niet dat het verhaal goed afloopt,' zegt papa.

'Ik weet nog niet hoe het afloopt,' zegt Robin.

'Hoe heette die jongen?' vraagt papa.

'Eh... Sjors,' zegt Robin.

'Ik ken net zo'n verhaal,' zegt papa. 'Er was eens een jongen en die woonde in de grote stad. Driehoog. Je moest drie trappen op, dan kwam je bij zijn huis. En als je dan nog een trap op ging, kwam je op zolder. Maar die jongen ging bijna nooit naar zolder, want boven aan de trap zat een wolf. Ook met scherpe tanden.'

'Hoe heette die jongen?'

'Kees,' zegt papa.

'Was jij dat?' vraagt Robin.

'Eh... ja,' zegt papa.

'Dat was dan erg stom van je,' zegt Robin, 'want ik ben op die zolder geweest, toen ik bij opa en oma logeerde, en er zit helemaal geen wolf.'

'Nou, dan ben jij net zo stom,' zegt papa, 'want in dit huis zit ook geen wolf boven aan de trap.'

'Dat weet je nooit zeker,' zegt Robin.

'Dat is waar,' zegt papa. 'Je weet het nooit zeker. Misschien heb je gelijk, misschien zit hier wel een wolf boven aan de trap. Dan heb je pech. Als er echt een wolf boven aan de trap zit, word je vandaag of morgen waarschijnlijk opgevreten. Met huid en haar. En dan laat de wolf een boer en dan komt je hoofd nog even naar buiten en dan kun je nog net "dag lieve papa" zeggen en dan slikt de wolf je helemaal in. Weg Robin. Jammer hoor, we hadden het leuk samen.'

'Dat kan helemaal niet,' zegt Robin.

'O jawel,' zegt papa, 'je hoort het wel vaker.'

'Hoe groot is die wolf dan?'

'Zo groot als een kerk.'

'Dan past hij niet in ons huis! Hoe groot is een wolf echt?'

'Als een grote herdershond.'

'Ha,' zegt Robin, 'daar pas ik niet eens in.'

'Nou,' zegt papa, 'als ik een beetje help met duwen en proppen...'

'Ga je dat doen?'

Papa lacht.

'Natuurlijk niet,' zegt hij. 'Ik ga mijn eigen zoon toch niet in een wolf proppen! Ik stop je wel eens in bed en ook wel eens in bad, maar in een wolf? Nee. Dat doe ik niet. Dat beloof ik.'

Dan is het goed.

Toverspreuk

Het waait buiten zo hard, als je wat wilt zeggen vliegen de woorden je keel in. Zo naar binnen, naar beneden, naar je buik. Moet je ze eerst uitpoepen voor je ze nog een keer kunt zeggen. Ergens waar het niet zo hard waait. Moet je ze wel eerst schoonmaken natuurlijk.

Robin en papa liggen nog steeds in bed. Daar kan de wind niet komen. Daar kun je zeggen wat je wilt. Ze praten over wolven.

'Mijn verhaal was nog niet uit,' zegt papa. 'Ik had op school een versje geleerd en als ik dat opzegde, durfde ik wel de trap op. Zal ik het opzeggen?'

Robin knikt. Hij wil het graag horen.

Papa zegt het versje op:

'De boze wolf is gevangen
tussen twee ijzeren tangen,
ziet geen zon, ziet geen maan,
herder laat je schaapjes gaan.'

Dat is een goed versje, denkt Robin.

'Als ik *wolf* zei deed ik een stapje omhoog,' zegt papa, 'en als ik *vang* zei nog een, en als ik *twee* zei en als ik *tang* zei, en bij *zon* en bij *maan*, en ik deed nog een stapje hoger bij *gaan*. Als ik dat versje twee keer

zei, was ik veilig boven. Op zolder. En dan ging ik daar lekker voetballen. Keepen.'

'Ik heb geen versje,' zegt Robin. 'Ik heb een toverspreuk.'

'Zeg op,' zegt papa.

Robin zegt de spreuk:

'Stomme wolf, ik trek je vel eraf,
dan zien we wie je bent.
Maar dat wisten we allang.
Zo sterk zijn wij, zo sterk zijn wij.
O rode papaver, boem pats knal.
Ik spuug in je ogen
en ik trap op je klauwen. Hard.
En ik bind je bek dicht en ik verbrand je vel.
Zo sterk zijn wij, zo sterk zijn wij.
O rode papaver, boem pats knal!'

‘Man!’ zegt papa. ‘Jouw toverspreuk is veel beter dan mijn versje. Met zulke mooie woorden in je mond heb je drie dagen geen honger. De wolf schrok zich zeker rot toen hij jouw spreuk hoorde.’

‘Hij werd nóg kwaaier,’ zegt Robin.

‘Hoe weet je dat?’

‘Ik hoorde een vreemd geluid, een ritselend geluid.’

‘Dan was de wolf niet kwaad,’ zegt papa, ‘dan sloeg hij op de vlucht. Hij was doodsbang. Dat weet ik zeker. Je hoeft de spreuk nog maar één keer te zeggen en hij vlucht het land uit.’

‘Kom es,’ zegt Robin.

Ze stappen uit bed. Ze lopen de kamer uit en de gang in. Naar de trap.

‘Doe je best,’ zegt papa. ‘Ik kijk.’

‘Stomme *wolf*,’ zegt Robin.

Hij zet zijn voet op de eerste tree.

‘Ik trek je *vel* eraf.’

Andere voet op de tweede tree.

‘Dan zien we wie je *bent*.’

Derde tree.

‘Maar dat wisten we al*lang*.’

Vierde tree.

‘Zo *sterk* zijn wij.’

Vijfde tree.

‘Zo *sterk* zijn wij.’

Zesde tree.

'O rode papaver, boem pats *knal.*'

Zevende tree.

'Ik *spuug* in je ogen.'

Achtste tree.

'En ik *trap* op je klauwen.'

Negende tree.

'*Hard.*'

Tiende tree.

'En ik *bind* je bek dicht.'

Elfde tree.

'En ik ver*brand* je vel.'

Twaalfde tree.

Nu moet Robin de bocht om. Hij doet het. Hij doet het gewoon. Hij heeft nog zoveel woorden om te zeggen.

'Zo *sterk* zijn wij.'

Dertiende tree.

'Zo *sterk* zijn wij.'

Veertiende tree.

'O rode papaver, boem pats *knal!*'

Robin is boven.

Er is geen wolf.

'En?' roept papa van beneden.

'Niks!' roept Robin.

'Man, wat een machtige toverspreuk!' roept papa.

Robin huppelt drie treden af. Hij gaat de bocht om. Beneden staat papa.

'Mag ik springen?' vraagt Robin.
Papa steekt zijn handen omhoog en Robin springt.
Robin vliegt.
En papa vangt hem.

Schoon

Het regent zure appelen, het regent pijpenstelen, het regent honden en katten, het regent koeien en schapen, het regent olifanten en giraffes. Zo hard regent het. Robin vindt het fijn als het regent. Dan is het lekker warm binnen, lekker droog. Veilig. De regen is een vriend van Robin.

Maar voor de kinderen die vandaag voor het eerst weer naar school moeten, is het zielig dat het zo hard regent. Robin zit in het bed achter het raam en ziet ze rennen. Sommigen hebben een paraplu, anderen een capuchon, er zijn er ook die hun schooltas op hun hoofd hebben gelegd. Robin kan ze goed zien. Het pad van de weg naar de school loopt vlak langs het raam. De kinderen zien Robin niet. Ze kijken recht vooruit en rennen naar school en ze denken: ik wou dat ik al binnen was.

Robin ziet Pieter en Rudi en Marjan en Nellie en Alexander en Elias en Sil en Sofie en Jannie en Wiepke. Alle kinderen die hij kent van voor de vakantie. En dan...

Daar heeft Robin op gewacht!

Hij ziet Eefje.

Eefje heeft haar capuchon op en ze houdt een paraplu boven haar hoofd. Ze rent over het pad naar school. Ze springt over de plassen heen. Robin kan haar gezicht bijna niet zien maar hij weet zeker dat het Eefje is. Heel zeker. Hij ziet het aan haar jas, aan

haar schoenen, aan de manier waarop ze over de plassen springt en aan het puntje van haar neus. Het is een lief puntje.

Robin bonst tegen het raam.

'Eefje!' roept hij. 'Hé Eefje! Hier ben ik! Ik ben ziek!'

Maar Eefje hoort Robin niet. Hij kan bonzen en roepen wat hij wil, de druppels die op Eefjes paraplu vallen maken veel meer lawaai. Eefje hoort alleen de regen en ze denkt: ik wou dat ik al binnen was. Ze rent langs het raam. Ze hoort Robin niet en ze ziet Robin niet.

Verdorie.

Robin denkt na.

Straks, tussen de middag, gaan de kinderen weer naar huis. Dan komen ze uit school en lopen ze weer langs het raam. Alle kinderen en Eefje. Dan wil ik dat Eefje mij ziet, denkt Robin, dan wil ik dat ze naar me zwaait.

'Papa,' vraagt hij, 'wil je de poppenkast voor het raam zetten?'

Papa ligt in bed. Hij leest een boek.

'Wat ga je doen?' vraagt hij.

'Poppenkast spelen,' zegt Robin. 'Als de kinderen weer uit school komen. Dan komen ze allemaal kijken.'

'In de regen?' vraagt papa.

'Ze hebben een paraplu of een capuchon,' zegt Robin. 'Of een tas op hun hoofd.'

'Dat is waar,' zegt papa.

Papa staat op. Hij pakt de poppenkast en zet die voor het raam. Dan ploft hij terug in bed. Met zijn boek.

De poppenkast is geel, met rood-witte gordijntjes. Op de voorkant zijn Jan Klaassen en Katrijntje geschilderd. Robin heeft de poppenkast voor zijn verjaardag gekregen. Er zijn ook poppen bij: de Dood van Pierlala, Jan Klaassen en Katrijn, een boef met een lapje voor zijn oog, een koning, een prinses en een agent. Die heeft Robin ook voor zijn verjaardag gekregen. Toen hij vijf werd.

Robin kijkt naar de poppen. Hij wil een verhaal bedenken. Anders weet hij straks niet wat hij moet spelen.

Het is stil in huis. Veel stiller dan net. Hoe kan dat? Leest papa stiller? Dat kan toch niet. Robin kijkt naar papa en naar het boek in papa's handen. Er valt zonlicht op het boek. Dat is het. Dat maakt alles zo stil: het regent niet meer.

Robin kijkt naar buiten. De regendruppels hangen nog aan de blaadjes van de bomen. Ze schitteren in het licht van de zon. De plassen liggen als spiegels op het pad naar de school. Er kringelt damp uit de aarde omhoog. De wereld is gewassen. Ze is nog nooit zo schoon geweest.

Robin denkt na over het verhaal dat hij straks gaat spelen. Hij denkt en denkt tot hij de schoolbel hoort. Is het al tussen de middag? Hij heeft nog geen verhaal! Gaan de kinderen alweer naar huis? Komen ze nu al langs zijn raam?

Nee. Het is pauze. Speelkwartier. Hij hoort de kinderen naar buiten komen. Hij hoort ze lachen en schreeuwen en zingen op het plein achter de school. Hij wou dat hij daar ook was.

Maar hij is daar niet. Hij zit naast papa in bed en denkt na. Hij denkt tot de kinderen weer de school in gaan om te leren lezen en schrijven. Hij denkt na en opeens... weet hij het. Hij weet wat hij gaat spelen in de poppenkast.

Net op tijd.

In de verte klinkt de schoolbel weer. De deuren zwaaien open. Robin hoort stemmen en voetstappen op het pad naar de weg. Hij zet het raam wijd open en gaat op zijn knieën achter de poppenkast zitten. Hij schuift twee poppen aan zijn handen. Jan Klaassen en Katrijn. Hij steekt ze omhoog.

Het spel kan beginnen.

Zoenen

'Moet je zien! Een poppenkast!' zegt een meisjesstem buiten.

Dat gaat goed, denkt Robin.

Hij weet wat hij gaat zeggen en hij weet wat hij gaat doen. Hij doet eerst de stem van Jan Klaassen.

'Katrijntje,' zegt Jan Klaassen, 'ik ga vandaag werk zoeken. Ik heb al heel lang niet gewerkt. Misschien kan ik dokter worden. Of koning. Of schoolmeester.'

Dan doet Robin de stem van Katrijn.

'Doe je best, Jan Klaassen,' zegt Katrijn.

Jan Klaassen geeft Katrijn een zoen op haar wang.

'Zoen op je ene wang,' zegt hij. 'En een zoen op je andere wang.'

Hij zoent Katrijn op haar andere wang.

'Dat zijn samen drie zoenen,' zegt Jan Klaassen. 'Dat is wel genoeg voor vandaag.'

Robin hoort een paar kinderen lachen.

Het gaat zeer goed.

'O Jan Klaassen,' zegt Katrijn. 'Wat ben je toch een domme man. Eén zoen en nog één zoen – dat zijn toch niet drie zoenen? Als je zo dom bent, kun je

nooit koning worden. En zeker geen dokter. En al helemaal geen schoolmeester.'

'Ik weet het goed gemaakt, Katrijntje,' zegt Jan Klaassen. 'Ik ga vandaag naar school. Niet als meester, maar als kind. Ik ga leren tellen.'

'Heel verstandig,' zegt Katrijn.

'Nog een dikke zoen toe,' zegt Jan Klaassen. 'Dat is zoen nummer vijf.'

En Jan Klaassen geeft Katrijn haar derde zoen.

De kinderen buiten lachen weer.

Nu moet Robin iets moeilijks doen. Hij moet zijn hand met Jan Klaassen omhoog houden en zijn hand met Katrijn laten zakken. Hij moet Katrijn van zijn hand laten glijden en proberen de agent op zijn hand te schuiven. En hij moet Jan Klaassen ook nog een liedje laten zingen.

'Pom pom pom,' zingt Jan Klaassen. 'Pom pom pom, ik ga naar school en ik ga leren tellen. Als ik een fiets had, ging ik op de fiets en kon ik lekker bellen.'

Het is niet moeilijk voor Robin om Katrijn van zijn hand te laten glijden maar het is ontzettend moeilijk om de agent op die hand te krijgen.

'Hé Jan Klaassen!' roept iemand buiten. 'Ik zie alleen nog maar je muts!'

Het lijkt de stem van Pieter wel.

Robin steekt zijn hand met Jan Klaassen gauw wat

verder omhoog. Papa komt naast Robin zitten en houdt het jurkje van de agent wijd open. Robin steekt zijn hand erin. Zo gaat het goed. De agent vliegt naar boven.

'Hallo Jan Klaassen,' zegt de agent. 'Waar ga jij naartoe?'

'Naar school,' zegt Jan Klaassen.

'Daar ben je veel te oud voor,' zegt de agent.

'Een mens is nooit te oud om te leren,' zegt Jan Klaassen.

'Maar wel te oud om naar school te gaan,' zegt de agent. 'Hoe oud ben je?'

'Vijfduizend,' zegt Jan Klaassen.

De kinderen buiten schateren van het lachen.

Het gaat steeds beter.

Robin steekt de kop van Jan Klaassen ver uit de poppenkast en laat hem naar de echte school kijken.

'Ik zie de school al,' zegt Jan Klaassen. 'Daar ga ik heen.'

'Daar mag jij niet heen,' zegt de agent. 'Je bent te oud. Je past niet in de bankjes. Je bent nog ouder dan de juf.'

'Nietes,' zegt Jan Klaassen.

'Welles,' zegt de agent.

'Nietes.'

'Welles.'

'Nietes.'

'Welles,' zegt de agent. 'Als jij toch naar school gaat, Jan Klaassen, dan sla ik je op je kop met mijn knuppel.'

Waar is de knuppel? Op de vensterbank. De agent duikt naar beneden en pakt de knuppel. O nee, het is de agent niet. Het is Jan Klaassen. Jan Klaassen pakt de knuppel en geeft hem aan de agent.

'Alsjeblieft,' zegt hij.

Iedereen buiten lacht zich helemaal suf.

'Ik ga toch naar school,' zegt Jan Klaassen.

'Dan geef ik je een dreun,' zegt de agent.

Hij slaat Jan Klaassen met de knuppel op zijn kop.

'Dat is één,' zegt hij.

'Ik ga toch naar school,' zegt Jan Klaassen.

De agent slaat hem weer op zijn kop.

'Dat is twee,' zegt de agent.

'Mij hou je niet tegen,' zegt Jan Klaassen.

En de agent slaat nog een keer.

'Dat is drie,' zegt hij.

'Ik ga leren tellen,' zegt Jan Klaassen.

De agent slaat weer.

'Vier!' roepen de kinderen buiten.

'Dat heb ik Katrijntje beloofd,' zegt Jan Klaassen.

De agent slaat Jan Klaassen voor de vijfde keer op zijn kop.

'Vijf!' roepen de kinderen.

'Ho!' zegt Jan Klaassen. 'Hou op. Ik heb genoeg

geleerd voor vandaag. Ik hoef niet meer naar school.'

'Mooi zo,' zegt de agent.

Nu wordt het weer moeilijk voor Robin. De agent moet van zijn hand af en Katrijn moet erop. Maar papa helpt hem en het lukt.

Jan Klaassen zingt een liedje: 'Pom pom pom, pom pom pom, ik wilde leren tellen en mijn kop zit vol met vellen.'

Robin steekt Katrijn omhoog.

'Jan Klaassen,' zegt Katrijn. 'Je kop zit vol blauwe plekken!'

'Katrijntje,' zegt Jan Klaassen, 'kom eens bij me.'

Hij geeft haar een smakkerd van een zoen op haar wang.

'Dat is één,' zegt hij.

Dan geeft hij haar een klapzoen op haar andere wang.

'Twee!' roepen de kinderen buiten.

Nog een zoen.

'Drie!'

En nog een.

'Vier!'

'Eén twee drie vier...' zegt Jan Klaassen.

'Vijf!' roepen de kinderen.

En Jan Klaassen geeft Katrijn een vijfde zoen.

'Jan Klaassen,' zegt Katrijn, 'wat heb je veel geleerd op school! Nu kun je meester worden.'

Ze slaat haar armen om Jan Klaassen heen en geeft hem een zoen op zijn mond.

'Zes!!!'

Zo blijven Jan Klaassen en Katrijn staan: met hun armen om elkaar en hun lippen op elkaar. Dan weten de kinderen dat het verhaal is afgelopen.

De kinderen snappen het meteen. Ze beginnen te klappen.

'Je moet buigen,' zegt papa. 'Dat hoort na een voorstelling.'

Maar hoe kun je buigen als je achter een poppenkast zit? Ja, je kunt wel buigen, maar niemand ziet het.

'Steek je hoofd uit het gat,' zegt papa.

Robin steekt zijn hoofd uit het gat en... hij schrikt zich kapot! Er staan geen tien kinderen op het pad, nee, de hele school staat daar! Alle kinderen. En de meesters en de juffen erbij.

'Je moet knikken,' zegt papa. 'Knikken is buigen met je hoofd.'

Robin knikt.

De kinderen en de meesters en de juffen klappen nog harder. Ze staan zes rijen dik. Robin kent iedereen. Alle meesters, alle juffen, alle kinderen.

En helemaal vooraan... staat Eefje.

Ze lacht. Het puntje van haar neus glimt van plezier.

En ze zwaait naar Robin.

O

Ze zijn beter.

De dokter heeft het gezegd: Robin en papa zijn beter en ze mogen weer naar school. Papa gaat naar de oudste kinderen, om les te geven. Robin gaat naar de jongste kinderen, om te leren.

'Fijn dat je weer beter bent, Robin,' zegt juf Ina.

Dat vindt Robin ook.

Juf Ina is de nieuwe juf. Juf Tineke was de oude juf. Zij is vlak voor de vakantie getrouwd en weggegaan. Nu woont ze in de grote stad. Robin was verliefd op juf Tineke. Maar dat is hij allang niet meer. Juf Ina heeft blond haar en een brilletje dat op een vlinder lijkt. Robin zou best verliefd op haar willen worden, maar dat kan niet. Hij is al verliefd op Eefje.

'Zoek maar een plekje in de kring,' zegt juf Ina.

Het zoeken is niet moeilijk. Eefje zwaait naar Robin. Ze zwaait met haar ene hand en haar andere hand ligt op het stoeltje naast haar. Dat stoeltje is voor Robin. Voor Robin en voor niemand anders. Robin gaat naast Eefje zitten.

'Jongens,' zegt juf Ina, 'Robin is ziek geweest.

Wie wil Robin vertellen wat we hebben geleerd toen hij ziek was?'

'Ik!'

'Ik!'

'Ik!'

Iedereen wil vertellen wat ze hebben geleerd toen Robin ziek was.

'We hebben buiten gespeeld,' roept Rudi.

'In de zandbak,' roept Wiepke.

'We hebben naar de poppenkast van Robin gekeken,' zegt Eefje.

'We hebben gevoetbald,' roept Alexander.

'We hebben overlopertje gedaan,' roept Sil, 'en ik liep met mijn neus tegen de muur en toen had ik een bloedneus.'

'Allemaal goed,' zegt juf. 'Maar ik bedoel eigenlijk: wat hebben we binnen gedaan? Hebben jullie nog iets geleerd?'

'Nee juf,' zegt Rudi, 'we hebben niks geleerd.'

'Wel waar,' zegt Eefje. 'We hebben een letter geleerd. We hebben de letter a geleerd. De a van aap.'

'Heel goed, Eefje,' zegt juf. 'En vandaag wil ik jullie een nieuwe letter leren. De letter o.'

'O o,' zegt Rudi. 'O o...'

'Goed zo, Rudi,' zegt juf Ina. 'Zo moet het. En nu iedereen. Net als Rudi. Maak een mooi rondje van je lippen en zeg dan o.'

Alle kinderen maken een rondje van hun mond en zeggen o. Het zoemt in de klas als in een nest hommels.

'Het is de o van oom,' zegt juf. 'En van oma en opa.'

En van o rode papaver, denkt Robin.

Ooooo rooooode papaver. Zooooomerbooooomen in de booooomgaard.

'Zo rond als die monden van jullie, zo rond is de letter o als je hem schrijft,' zegt juf Ina.

Rooooode koooool, vioooool op schoooool, denkt Robin.

Juf Ina schrijft de letter o op het schoolbord. Het is een mooi rondje.

Ooooom Kooooos koooookt roooooode koooool, denkt Robin.

'Hé Robin, hou es op!' zegt juf Ina. 'Nu weten we het wel.'

Robin schrikt.

Alle kinderen zijn stil, maar Robin zit nog steeds de o te zoemen. In zijn eentje. Op zijn stoeltje midden in de klas. Iedereen begint te lachen. Juf Ina lacht ook. Ze is niet boos. Niet boooos.

In het speelkwartier rennen de kinderen naar buiten. Robin en Alexander rennen naar de bomen die langs het schoolplein staan. Onder de bomen liggen geen tegels. Daar is alleen grond. Daar kun je kuiltjes maken in de knikkertijd. Daar kun je letters schrijven in de aarde.

Robin schrijft de v en de i en de s.

'Wat staat daar?' vraagt Alexander.

'Vis,' zegt Robin.

'Dat zou je niet zeggen,' zegt Alexander.

'Nee,' zegt Robin. 'Maar het staat er toch.'

Alexander tekent een o. En nog een o. En nog

een. Hij tekent de o's tegen elkaar aan. Wel tien o's. Tien rondjes.

'Wat staat daar?' vraagt Alexander.

'O o o o o o o o o o,' zegt Robin.

'Fout,' zegt Alexander. 'Er staat ketting.'

'O ja,' zegt Robin.

En opeens... krijgt Robin een kusje. In zijn nek. Hij weet het zeker. Het is een kusje. Hij voelt het. En hij hoort het ook.

Mwah.

Een lief klein kusje.

Hij draait zich om. Eefje en Jannie rennen weg over het schoolplein. Ze kijken achterom en ze stikken bijna van het lachen.

'Ooooo, dat zag ik!' roept Rudi. Hij staat met een paar andere jongens drie bomen verderop. 'Ooooo, dat zag ik!'

'Zag jij het ook?' vraagt Robin aan Alexander.

'Wat?' vraagt Alexander.

'Ik kreeg een kusje in mijn nek,' zegt Robin. 'Maar ik weet niet van wie. Van Eefje of van Jannie.'

'Ik heb niks gezien,' zegt Alexander.

'Ooooo, dat zag ik!' roepen alle jongens nu.

Nou ja, niet alle jongens. Robin en Alexander roepen niets. Want zij hebben niets gezien.

Ach, denkt Robin, ik wéét toch wie me dat kusje

heeft gegeven. Ik voelde het, ik hoorde het. Het was zo lief, zo zacht, het kan alleen maar Eefje zijn geweest.

'Ooooo, dat zag ik!' roept Rudi. 'Eefje gaf Robin een zoen!'

Zie je wel.

Einde

Robin ligt in bed. Het is laat, het is al donker buiten, maar hij kan niet slapen. Knor slaapt wel. Zet Knor boven op een vliegtuig dat hoog door de lucht gaat en hij valt in slaap. Hij kan ook onder water slapen. En in een koelkast. In het vriesvak. Als hij van de trap valt, slaapt hij tree voor tree voor tree en slaapt beneden verder. Knor is alleen wakker als Robin dat wil.

'Hé Knor,' zegt Robin. 'Word eens wakker.'

Knor doet zijn oogjes open. Hij kijkt heel slaperig, lodderig kijkt hij, en hij glimlacht naar Robin. Hij heeft zeker iets moois gedroomd.

'Wat droomde je?' vraagt Robin.

Knor geeft geen antwoord, hij slaapt alweer.

Hij droomde dat hij op een vliegtuig zat.

Buiten klinken de stemmen van mama en papa. Ze praten zacht, maar Robin hoort ze toch. Hij kan alleen niet verstaan wat ze zeggen. Robin wil naar ze toe maar dat mag niet. Hij moet slapen.

Hij doet het lampje boven zijn bed aan en kijkt om zich heen. Hij ziet de platen aan de muur en zijn boeken op de plank boven zijn tafel. Hij ziet zijn kleren op zijn stoel en zijn ochtendjas aan het haakje aan

de deur van zijn speelgoedkast. Hij ziet de spiegel boven de wastafel. Hij ziet zijn tandenborstel en zijn handdoek. Hij steekt zijn handen in het licht van zijn lampje en maakt schaduwen op het plafond. Een hond en een slang en een gehaktbal. Hij is blij dat hij weer in zijn eigen kamertje mag slapen. Het was gezellig met papa in de kamer beneden, maar hij ligt toch liever in zijn eigen bed. Met al zijn eigen spulletjes om zich heen. Hij doet het lampje uit.

Ik moet aan iets moois denken, denkt hij, dan val ik in slaap. Hij doet zijn ogen dicht. Hij denkt aan een vlinder, de mooiste vlinder die hij ooit heeft gezien. Ze danst door de lucht boven de tuin, de tuin achter het huis, de tuin met de grote boom met de dikke tak met de schommel, de tuin met het kippenhok vol kippen en eitjes en stro. In het oude huis hadden ze geen kippenhok. De vlinder danst door de lucht boven de boomgaard, de boomgaard waar de appels en de peren rijpen aan de takken. De vlinder danst de hele zoete zomer lang. Ze legt een eitje op een blad en danst verder. En verder. De herfst in. Robin kan haar niet meer zien. En hij is nog steeds wakker.

Robin neemt Knor onder zijn arm en stapt uit bed. Hij schuift de gordijnen opzij. Hij doet de deur naar het platte dak open en loopt naar buiten. In het oude huis hadden ze geen plat dak. Hier hebben ze dat wel. Hij gaat op de onderste plank van het hek staan en kijkt naar boven. Daar zijn de sterren, ze flonkeren in de zwarte nacht. Honderd sterren, duizend sterren, honderdduizend, een miljoen, een miljard, ontelbaar. Robin voelt zich kleiner dan een halve zandkorrel. Hij kijkt gauw naar beneden.

Daar zitten mama en papa op het stoepje. En staat een tafeltje en op het tafeltje branden kaarsjes. De kaarsjes branden wel heel erg gezellig vanavond. Er staan ook twee kopjes en een theepot op een lichtje. Als Robin het wil, kan hij zo in de kopjes spugen. Of plassen. Maar dat wil Robin niet. Hij buigt zich over het hekje.

'Hé!' roept hij. 'Jullie daar beneden!'

Mama en papa kijken omhoog.

'Jullie vinden het misschien gek wat ik ga zeggen,' zegt Robin, 'maar ik verveel me zo!'

'Kom dan maar gauw beneden,' zegt papa.

'Maar trek eerst iets warms aan.'

Gelukt.

Robin trekt zijn ochtendjas aan, rent de trap af, rent

de gang door en de keuken en de bijkeuken erbij, rent de deur uit, rent de tuin in. Met Knor onder zijn arm.

Papa tilt Robin op.

'Nu moet jij eens goed kijken,' zegt hij. 'Daar, boven de kerktoren, daar staan zeven sterren bij elkaar. Samen lijken ze een beetje op een wagentje.'

Papa wijst en Robin kijkt langs papa's vinger omhoog.

'Links zie je de steel en rechts de bak,' zegt papa.

'Ik zie ze,' zegt Robin. 'Het lijkt op een strandkar.'

'Heel goed,' zegt papa, 'die bedoel ik.'

'Het is een steelpannetje,' zegt mama.

'Ook,' zegt papa, 'een strandkar en een steelpannetje, allebei, en die zeven sterren, die heten samen de Grote Beer.'

'Waarom?'

'Goeie vraag,' zegt papa. 'Ik heb geen idee. Maar ik weet wel dat de indianen, vroeger, in Amerika, toen ze nog jacht maakten op buffels, dat de indianen altijd graag wilden weten of hun kinderen goede ogen hadden. Want als je goed ogen hebt, en je oefent vaak met je pijl en boog, dan schiet je altijd raak. Dus wat deden de indianen? Die namen hun kind op hun arm, ze wezen naar de Grote Beer en zeiden: "Je ziet daar zeven sterren aan de hemel en... bij een van die sterren staat nog een klein sterretje." Aan jou de vraag, Robin: bij welke ster zie jij nog een klein sterretje?'

Robin kijkt zo goed hij kan, hij knijpt zijn ogen een beetje dicht. Hij kijkt naar de sterren van de bak, alle vier, een voor een, maar hij ziet geen kleine ster. Dan kijkt hij naar de sterren van de steel. Eerste ster, niks, tweede ster, ja... vlak boven de tweede ster... Daar ziet hij een piepklein helder sterretje.

'Daar!' zegt Robin. 'Ik zie het! Daar!'

Hij wijst naar de hemel.

'Welke bedoel je?' vraagt papa.

'In de steel! Niet de eerste, niet de derde, maar die in het midden.'

'Stoere indiaan van me,' zegt papa. 'Morgen maak ik een pijl en boog voor je.'

'Ik heb goeie ogen, hè,' zegt Robin.

'Fantastische ogen,' zegt papa. 'Wil je ook een kopje thee?'

Dat wil Robin wel.

Papa zet Robin op de grond en loopt het huis in. Robin gaat op het stoepje zitten. Papa komt terug met een kopje. Hij schenkt het vol thee.

'Proost,' zegt mama.

'Proost,' zegt papa.

'Proost,' zegt Robin.

Ze tikken de kopjes zacht tegen elkaar en ze drinken.

'Zo,' zegt Robin, 'en nu wil ik wel eens een ster zien vallen.'

'Als de ster maar niet uit de bodem van het steelpannetje valt,' zegt mama, 'want dan krijgen we een gebakken ei op ons hoofd.'

'Of een plens soep,' zegt papa.

Daar moet Robin verschrikkelijk om lachen. De thee klotst in zijn kopje.

'Of bloemkool,' zegt hij.

En daar moeten papa en mama verschrikkelijk om lachen.

Het is gezellig onder de sterren. Maar Robin krijgt wel een kouwe kont. Het stoepje is van steen. Daar komt het van. En omdat hij een kouwe kont krijgt, moet hij opeens ontzettend nodig plassen. Maar hij gaat niet plassen, want dan moet hij opstaan en naar binnen lopen, en dan zeggen ze: 'Loop meteen maar door naar je bed en ga erin liggen.' Dat wil hij niet.

Daarom gaat hij zitten wiebelen. Hij gaat eerst een poosje op zijn ene bil zitten, dan kan zijn andere bil warm worden, en dan gaat hij een poosje op zijn andere bil zitten, dan kan de eerste bil weer warm worden. Zo gaat het goed. Zo houd je het lang vol.

Ze zitten heel stil bij elkaar, Robin en mama en papa. Alleen Robin wiebelt af en toe een beetje. Ze kijken naar de sterren, de stille sterren in de hoge hemel. En de sterren kijken naar Robin en mama en papa, en ze knipogen.

En dan... en daar... jawel... Robin weet het

zeker... daar valt een ster! Een flits, een streep, een gloeiende punt die door de hemel suist.

'Zag je hem? Zag je hem?' schreeuwt Robin. 'Zag je de vallende ster?'

'Ik zag hem,' zegt mama.

'Ik ook,' zegt papa. 'Nu mogen we alle drie een wens doen.'

Robin is blij dat hij niet is gaan plassen.

'Wat ga jij wensen, papa?'

'Dat zeg ik niet. Want als ik het zeg, komt mijn wens niet uit.'

'En jij, mama?'

'Ik zeg het ook niet.'

'Ik zeg het wel,' zegt Robin. 'Ik wens dat alles altijd zo blijft als het nu is, dat we hier altijd blijven zitten, met z'n drieën, onder de sterren, bij de kaarsjes, in de tuin van ons nieuwe huis, en Suze in haar bedje erbij. Met z'n vieren. Mijn hele leven lang. En Knor natuurlijk.'

'Vind je het hier zo fijn, man?' vraagt papa.

'Ik vind het net een feest,' zegt Robin.

'Maar,' zegt mama, 'nu komt je wens niet uit, want je hebt gezegd wat je wenst.'

'Gelukkig maar,' zegt Robin. 'Want als we hier altijd blijven zitten, mijn hele leven lang, dan moet ik mijn hele leven lang ontzettend nodig plassen.'

'Nou, ga dan!' roept papa. 'Hup!'

Robin springt op en rent het huis in. Hij moet zó nodig, hij plast bijna in zijn broek. Hij rent naar de wc, trekt de deur open en doet een daverende plas. Net op tijd.

Dat is goed afgelopen.

Alles moet juist anders worden, denkt Robin. Als alles blijft zoals het nu is, blijft het altijd donker en wordt Suze nooit meer wakker. Dat moet niet. Alles moet doorgaan.

Goed dat hij zijn wens hardop heeft gezegd.

Ik wil nog groot worden, denkt Robin, net zo groot als papa. En Suze moet ook nog groot worden. We gaan avonturen beleven. Ik ga nog naar de school in de stad en ik leer nog piano spelen. En dan ga ik net als opa naar de West varen, en naar de Oost, en naar China en verder, de hele wereld rond, en dan zie ik de haaien die opa zag en dan lach ik om wolven. Dan ben ik nooit meer bang. En dan leer ik schrijven en dan schrijf ik ster, zo mooi als ik kan, en dan schrijf ik er veel lucht omheen, de hele hemel, en daar zitten ik en mama en papa en Suze en Knor dan onder en dat schrijf ik allemaal met de mooiste letters. En die kan ik altijd lezen en dan zal ik nooit iets vergeten.

O rode papaver, boem pats knal.

Inhoud

Nieuw 7
Kikkerogen 12
Bullebak 18
Mompel 24
Sterk 29
Hooimannetjes 34
Dom 40
Bootje 44
Douche 49
Stamp 50
Lift 55
Hahaha 60
Besmettelijk 67
Klompje 73
Park 80
Fantast 85
Zolder 90
Banaantje 96
Koorts 102
Kuuks 107
Snavelbalslang 113
Opbellen 119
Held 125
Monster 131
Proppen 139
Toverspreuk 144
Schoon 150
Zoenen 156
O 164
Einde 170

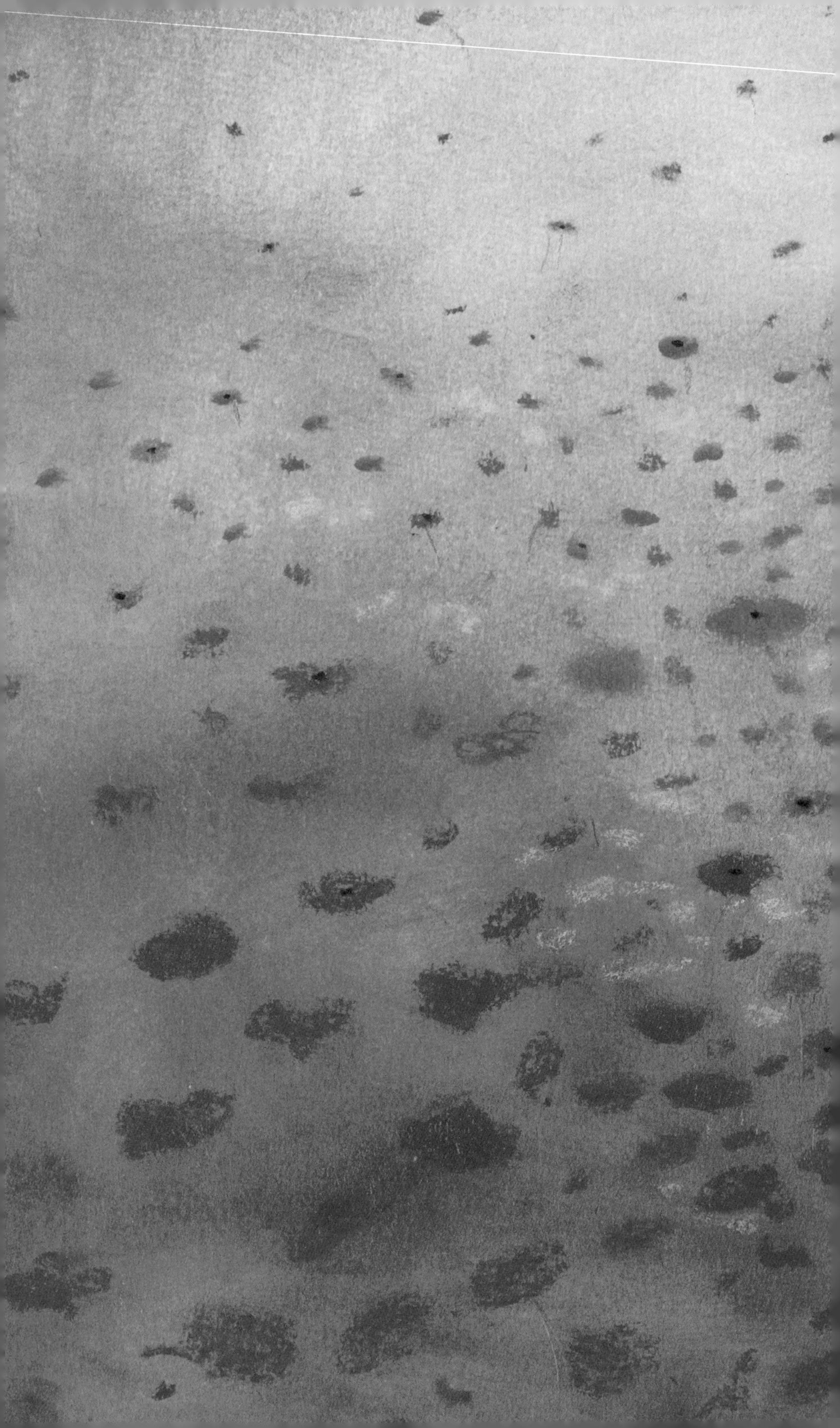